AWR Y
LOCUSTIAID

FFLUR DAFYDD
y Lolfa

I Beca Elfyn, fy merch,
sy'n stori newydd sbon

Argraffiad cyntaf: 2010

Dymuna'r cyhoeddwyr gydnabod cymorth ariannol
Cyngor Llyfrau Cymru

Cynllun y clawr: Matthew Tyson / Sion Ilar

Rhif Llyfr Rhyngwladol: 978 1 84771 982 8

Cyhoeddwyd ac argraffwyd yng Nghymru
gan Y Lolfa Cyf., Talybont, Ceredigion SY24 5HE
gwefan www.ylolfa.com
e-bost ylolfa@ylolfa.com
ffôn 01970 832 304
ffacs 832 782

Cynnwys

Dwy Law yn Erfyn	7
Gwaed	21
Awr y Locustiaid	38
Merano	55
Hollti Blew	82
Cath heb Glustiau	96
Pwdin	111
Mis Mêl	120
Helsinki/Helsingfors	140

Dwy Law yn Erfyn

Y NOSON Y darganfûm bâr o ddwylo yn fy ngardd gefn, roedd Mr Huws yn canu corn ei gar yn ei byjamas glas golau. Weithiau, dwi ddim yn siŵr yn union pa ddigwyddiad a fu'n ysbardun i'r llall, ond mae'n debygol mai'r corn a roddodd gychwyn i'r cwbl; wedi'r cyfan, does neb yn ei iawn bwyll yn chwynnu yn yr ardd am hanner awr wedi gwirion ar noson loer-lawn, heblaw bod realiti wedi tresmasu ar eu breuddwydion. Ac eto, nid breuddwyd yn union a ddifethwyd gan gorn gwlad Mr Huws, ond meddylfryd. Meddylfryd clir am y pethau bychain sy'n ynysu person. Ac am i mi golli gafael ar y meddylfryd hwnnw pan ganodd y corn, roeddwn i'n ystyried y weithred fel tresmas o'r radd flaenaf. Tresmas mewn menyg duon, yn sleifio'i fysedd dros gyfrin fannau fy nghof.

Gwisgais ŵn nos a cherdded allan o'r tŷ tuag at gar Mr Huws. Craffais drwy'r gwydr chwyslyd. Wrth edrych i mewn, gallwn weld ei ben moel, gloyw, yn cael ei daro eto ac eto ar olwyn y car, *bip! bip! bip!*, y pyjamas glas golau yn siffrwd yn erbyn y lledr a chysgodion du y nos yn chwarae mig â noethni ei ben. Cnociais ar y ffenest. Ymlaen ac yn ôl, ymlaen ac yn ôl, pinc, du, glas golau, pinc, du, glas golau. Cnociais eto.

"Alli di gnocio faint lici di," meddai llais y tu ôl i mi, "neith e ddim gwahaniaeth."

Codais fy llygaid a gweld Mrs Huws yn eistedd ar gadair esmwyth yng nghanol y lawnt. Rydw i'n cofio gweld y gadair hon yn yr ardd y diwrnod y prynais i'r tŷ. Rhyfedd mod i, bryd hynny, wedi cymryd yn ganiataol mai gwrthrych tu hwnt i ddefnydd ydoedd. Ond dyna ni. Fe fu gagendor bob amser rhyngof i a gwrthrychau. Hyd y noson honno, beth bynnag.

Roedd llygaid Mrs Huws yn fychan yng nghilfachau ei gruddiau. Roedd ôl blynyddoedd o gnocio ffenest car ar ei hwyneb.

Roedd hon yn weithred ddigon cyffredin ar ein stryd ni. Er yr hyn a ddigwyddodd yn hwyrach y noson honno, roeddwn wedi hen arfer â'r hyn a elwir gan bobl y stryd yn 'fisglwyf Mr Huws'. Bob mis, pan lithrai'r lloer ar draws y düwch, fe âi ei synnwyr allan gyda'r sêr. Y tro diwethaf i hyn ddigwydd, ac yntau wedi dringo ar ben y to i draethu fel dirwestwr, dywedodd wrthyf fod cyfanrwydd mawr barus y lloer yn ei boenydio, ac mai dyna pam yr oedd yn rhaid iddo ymddwyn fel y gwnâi. Roedd y lloer yn chwyddo dan ei amrannau ac yn pelydru trwy ei lygaid, fel na fedrai gau ei lygaid yr un fodfedd, heb sôn am gysgu. O ganlyniad, roedd ganddo'r ysfa i ddial arni, a'r unig arf oedd ganddo i'w ddefnyddio yn ei herbyn, meddai ef, oedd sŵn. Yr oedd pob un ohonom ar y stryd bellach yn deall tacteg loerig Mr Huws. A'r cyfan oll yn digwydd tra byddai'r lloer yn gwbl fud uwchben.

Sŵn yw'r unig ffordd y gall Mr Huws wneud synnwyr o'r byd, hyd y gwelaf i. Erbyn hyn mae'r cymdogion wedi dechrau llifo allan o'u cartrefi, fesul un, pob un yn drwm dan bwysau'r bore bach, a'u dylyfiadau'n diflannu i mewn i'w paneidiau. Y teulu sy'n cyrraedd gynta, Petra y blismones, a Corwynt y gŵr-tŷ. Mae ganddynt blentyn yr un ar eu hysgwyddau, a'r rheiny'n cysgu'n braf yn eu cobanau. Wrth i Petra weld Mr Huws, mae hi'n pilio'r plentyn oddi arni ac yn ei osod ar ysgwydd arall Corwynt, lle mae'n ffitio'n dwt fel darn o Lego. Mae hi'n cerdded yn araf at y car ac yn plygu i lawr er mwyn edrych i mewn. Hyd yn oed yn ei phyjamas, mae Petra'n cymryd ei swydd o ddifri.

"Ydych chi'n gwbod, Mr Huws," meddai, yn ei llais miniog gorau, "bod rhywbeth fel hyn yn drosedd difrifol a allai olygu hyd at ddeunaw mlynedd yn y carchar?"

Bip! bip! bip! bip! oedd unig ymateb Mr Huws.

Mae Mrs Huws yn ebychu o'r cysgodion. Yr wyf yn aml yn teimlo y gallwn garu Mrs Huws, nid fel cymydog ond fel mam fenthyg, rhywun i drin a thrafod fy nheimladau, i esbonio imi'n union sut y gall pethau bychain ynysu person. Mae iddi anwyldeb sy'n felys ac yn ysgafn, fel llwyaid o siwgr dros fefus. Ond dim ond haen ydyw. Gallwn ei ddifa mewn cegaid. Rydw i'n wincio arni er mwyn dynodi nad oes gan Petra unrhyw bŵer yn ei phyjamas.

Mae sain y corn yn llygru'r nos. Gwelaf drigolion eraill y stryd yn dod i'r golwg trwy'r düwch. Yn eu mysg y mae Heli, sy'n athrawes yn yr un ysgol â fi. Fi oedd yr un a awgrymodd y stryd hon iddi fel lle delfrydol i fyw ynddo, yn y dyddiau hynny pan oedd Mr Huws yn ddyn bach distaw a dendiai ei ardd ar bnawn Sul ac a wridai bob tro y siaradai dynes ifanc ag ef. Mae hi'n wahanol i'r lleill – synhwyrwn hynny yn y ffordd roedd hi'n edrych i fyw fy llygaid wrth ysgwyd fy llaw, a phan deimlwn fy nghnawd yn pobi'n gynnes yn ei gafael. Roeddwn wedi gobeithio cipio ei chyfeillgarwch. I ddweud y gwir, roeddwn wedi dychmygu nosweithiau lawer yn ei chwmni, yn yfed gwin cartref, yn gwneud hwyl o eirfa gloff ein cyd-athrawon, yn coginio prydau'n llawn llaeth coconyt a llysiau cyfandirol, ac yn rhyfeddu at ddinodedd pawb arall o'n cwmpas. Ac yn dod at wraidd y pethau bychain sy'n ynysu person. Ond nid felly y bu hi. Ac ar Mr Huws yr oedd y bai am hynny, hefyd. Wythnos wedi iddi gyrraedd roedd Mr Huws yn ei simne, yn canu tiwn gron ar dop ei lais. "Daw hyfryd fis Mehefin cyn bo hir," canai'n ddi-diwn, a hithau'n noson glaerwyn o Ionawr.

Mae hyd boncyff rhyngom bellach, a fedra i ddim yn fy myw ddeall na derbyn hynny. Hi yw fy mhoendod dyddiol, fel ploryn y gall rhywun anghofio amdano am ychydig oriau nes dod wyneb yn wyneb ag e yn y drych. Cyn iddi ddechrau yn yr ysgol, fi, a fi'n unig, oedd arwres y stafell athrawon, cyfarwydd pob comedi, ffrind pennaf pob ffŵl. Ac ro'n i'n ddigon bodlon i rannu fy mhoblogrwydd â hi, ac i roi statws iddi fel tywysoges fy Mrenhiniaeth. Ond doedd hi ddim yn fodlon â dim byd llai na chymryd fy lle i'n gyfan gwbl a gadael i mi bydru ym mhen pella'r stafell athrawon.

Y noson honno, rwy'n cofio ei gweld yn sefyll ynghanol y lawnt gyda'i gwallt melyn yn troi'n wyn yn y golau mawr, yn gyfoglyd o gain, yn bigog o fendigedig. Edrychodd i fyw fy llygaid cyn edrych i ffwrdd. Dyna yw'r patrwm. Gwyddwn yn iawn nad abwyd ydoedd, ac eto, fe'i llyncais yn awchus a chamu tuag ati.

"Heli? Ti'n iawn?"

"O… Awen. 'Nes i ddim dy weld di fan 'na."

Gyda siôl wen am ei hysgwydd, a'r lloer fel powdr ar ei hwyneb, mae hi'n ymddangos yn hollol dryloyw. Mae gen i awydd taenu fy mysedd trwyddi, i weld a yw hi'n real o gwbl.

"Popeth yn iawn yn yr ysgol?" mentraf rhwng fy nannedd ansicr. "T'mod, plant yn olreit?"

"Wel, olreit t'mod. Dal i fynd. Rhai yn neis, rhai ddim mor neis. Brrr... on'd yw hi'n oer yn sydyn iawn? Fi'n meddwl a' i 'nôl mewn nawr."

A chyda hynny mae hi'n taflu atalnod llawn fel pêl griced at fy nhalcen.

Cwsg, fel arfer, yw ei diwedd hi. Fe fydd cwmwl yn llithro fel fêl ddu dros y lloer ac fe fydd llygaid Mr Huws yn cau, a'i geg yn croesawu llond cegaid o sêr. Y noson honno, serch hynny, syrthiodd Mr Huws i gysgu â'i ben ar y corn, gan ddal ein hamrannau blinedig ar agor am weddill y nos. Yn hytrach na'i negeseuon pytiog arferol, cafwyd un alwad hir, ddu, ddiderfyn trwy gydol y nos, yn taranu ei ffordd trwy'r stryd. Criodd Mrs Huws yn ei chwsg ysbeidiol, traethodd Petra am drosedd cymunedol tra rholiai Corwynt ar ei phen hi, a llosgodd Heli ei thafod ar ei the mefus.

A fi? Es allan i chwynnu a darganfyddais bâr o ddwylo yn yr ardd gefn.

Fore trannoeth yr oedd Mrs Huws wrth y drws ffrynt. Hi sy'n gorfod ymddiheuro, bob tro. Does gan ei gŵr ddim cof am y digwyddiad. Yn waeth na hynny, fe fydd e'n mynnu iddo gael y noson berffeithiaf o gwsg ers tro byd. A chan ei fod bob amser yn llwyddo i gyrraedd ei wely cyn y wawr, does ganddo ddim rheswm i amau bod unrhyw beth o'i le. Fe fydd e'n dylyfu gên, yn rhwbio'i lygaid, yn troi i wynebu'i wraig, ac yn rhyfeddu at yr olwg sydd yn ei llygaid – rhyw gymysgedd gwlithog o ofn a chwilfrydedd. A phan fydd e'n gofyn iddi a yw hi'n iawn mae hi'n dweud ei bod hi, rhag ofn iddi chwalu plisgyn brau ei wallgofrwydd dan ei sliperi sidan.

Dyw ambell i wg mileinig gan y cymdogion yn poeni dim arno. "'Na ti hen stryd fach sych yw hon," fe'i clywn yn traethu wrth ei wraig ochr draw'r wal. "Neb â pharch tuag at unrhyw un arall. Pam ddiawl ma'r gadair 'na'n dal 'da ti yn yr ardd, Meri?"

Mae Mrs Huws yn gosod ei llaw oer ar fy un innau.

"Sori am neithiwr, Awen," meddai, gan ddylyfu'i blinder trwy ei dannedd gosod, "ond t'mod fel ma fe. Dim yn cofio dim, t'wel. A wel, 'mond unwaith y mis yw e, whare teg."

Mae ganddi ddawn o wneud i wallgofrwydd ei gŵr swnio'n rhesymol, yn naturiol hyd yn oed. Dyna gariad go iawn i chi.

"Ond mae e'n gwaethygu, Mrs Huws..."

Gyda hynny mae ei llygaid bychain yn crisialu. Fel petai rhywun wedi gwasgu botwm ynof, mae delwedd yn llamu i 'mhen o'r ddau ar eu diwrnod cyntaf allan, ar draeth yn rhywle, yn gynnwrf o gariad a'u gwalltiau'n llawn halen. Er gwaeth er gwell, sibrydai'r môr. Mae fy nghalon yn slip-slopian i ffwrdd gyda'r tonnau.

"Dwi'n deall y broblem, Mrs Huws, ac yn gweld dim bai arnoch chi na'ch gŵr, ond..."

Dyna ni. Mae hi wedi cymryd y gair 'deall' a'i osod ym mhoced ei ffedog. Mae hi'n troi ei chefn ac yn cerdded tuag at y tŷ drws nesa, yn canu'r gloch, yn gostwng ei llygaid, ac yn paratoi i ymestyn ei dwylo oer unwaith eto. Dyna pryd rwy'n sylweddoli bod hyd yn oed ei cherddediad yn rhan o'i chynllun. Mae ei phigyrnau coch yn chwithig ac yn ddigyfeiriad ar lwybr yr ardd, fel moch bach ar goll mewn glaswellt.

Wrth i mi gau'r drws, gwelaf Heli'n cerdded heibio.

Rydw i'n aros yn fy unfan ac yn galw ei henw. Alla i ddim esbonio pam, chwaith, y mae'r llais yn codi o ryw fan gwan ynof na wyddwn amdano tan ei glywed. Yr wyf am ofyn iddi ddod i mewn. Yna fe allwn astudio fy narganfyddiad prin, pendroni dros y cam nesaf, rhannu cacen fanana, a rhyfeddu dros y pethau bychain sy'n ynysu person.

"Heli!" Rydw i'n gweiddi erbyn hyn.

Y tro yma mae hi'n codi'i phen. Mae hi'n edrych arnaf i am eiliad. Yna, mae hi'n troi tua'r tŷ. Mae ei gwên yn lledaenu gyda'r awel.

A 'nghalon innau yn llamu. O'r diwedd, meddyliaf, o'r diwedd.

Ychydig lathenni oddi wrth y drws mae ei gwên yn gostwng.

"O sori. O'n i'n meddwl mai rhywun arall oeddet ti."

Ac i ffwrdd â hi.

Nid bob nos y mae rhywun yn ffeindio pâr o ddwylo yn yr ardd gefn. Yn sicr yr oeddwn yn ddyledus i Mr Huws yn hynny o beth, mod i'n digwydd bod yn chwynnu gyda'r fath gynddaredd, ac mai'r lloer, ac nid y sêr, oedd yn llusernu fy ngweithred. Ac nid bob nos, ychwaith, mae rhywun yn penderfynu nad ydyn nhw am wneud dim byd ynghylch y mater. Y ffaith eu bod yn edrych mor debyg i eirlysiau a drodd fy meddwl; roedden nhw, wedi'r cyfan, yn edrych fel petaen nhw'n perthyn i'r pridd, yn rhan o strwythur llawer mwy. Trosedd fyddai eu dadwreiddio'n ddifeddwl. Roedd 'na rywbeth yn gyfarwydd amdanyn nhw hefyd.

Yn ara deg, taenais y pridd yn ôl i'w le.

Amser cinio. Roeddwn ym mhen draw y stafell athrawon yn gwrando ar Heli'n adrodd stori'r noson dyngedfennol honno. Mae ei llygaid mileinig wedi gosod clamp am fy nhafod, fel na chaf ymyrryd yn ei stori. Ei sioe hi yw hon.

"Wel ma fe off 'i ben os ti'n gofyn i fi. 'I wraig fach bathetig e'n dod rownd yn llyfu tine, yn gweud bod e ddim yn cofio dim byd... os credi di 'na..."

Mae ei chriw dethol, sef tri dyn llychlwyd a dwy fenyw sy'n edrych fel hwyaid cysetlyd, yn chwerthin.

"Fyddet ti'n meddwl galle'r heddlu neud rhwbeth," meddai Melys Mathemateg, wrth deimlo'i bronnau o flaen Frank y Ffisegydd. "Ti'n meddwl bod un yn fwy na'r llall, Frank?" Mae llygaid Frank yn rholio ar hyd y llawr fel marblis.

"'Na'r broblem t'wel, ma 'na blismones yn byw yn y stryd."

"Pam ma hwnna'n broblem?" gofynnodd Gorila. Doedd neb yn gwybod ei enw iawn.

"Y cyfan ma hi'n neud yw bygwth pobl. Bygythiad o bŵer yw e, yn hytrach na phŵer go iawn. 'Mond bod hi'n ca'l sgriblo rhwbeth lawr yn y llyfr 'na ac *edrych* yn bwysig, sdim lot o ots 'da hi beth arall sy'n digwydd. Ac yn y bôn, wel, ma hi ishe i bobl ei lico hi. Trist mewn gwirionedd."

Wrth ddweud hyn mae hi'n edrych i fyw fy llygaid.

"Iaaa," meddai Sophia Seiberneteg, wrth i'r wybodaeth chwythu trwy goridor gwag ei phen.

Mae'r gloch yn canu.

Tra ro'n i'n tendio ar y dwylo un noson, fe ddaeth pen pinc Mr Huws i'r golwg dros y wal. Syllodd ar y dwylo.

Roedd hi'n rhy hwyr i ddyfeisio stori. Dyna lle'r oeddwn i, yn golchi budreddi'r pridd oddi ar y bysedd, yn sgwrio'r gwyn i'r golwg, yn edrych fel petawn i'n gwybod yn iawn beth roeddwn yn ei wneud, fel petai golchi pâr o ddwylo mewn pridd yn rhywbeth mor reddfol â sticio fy mys mewn pot o fenyn cnau.

"Awen," meddai, fel petai e'n dwrdio lleidr blodau. "Wyt ti am ddweud wrtha i beth yn union wyt ti'n ei wneud? Ti 'di bod yn penlinio fan 'na ers wythnosau. Dyw e ddim yn iach."

Mae arnaf eisiau dweud rhywbeth i adfer yr eiliad. Gweddïaf am un gair a grym gordd i syrthio o'r awyr a tharo Mr Huws ar ei ben moel.

"Ond welwch chi mo'r...?" Mae'r frawddeg yn dripian yn llwfr oddi ar fy ngwefus.

Mae Mr Huws yn crafu ei ben.

"Ymddygiad amheus yw peth felly, Awen. Fe fydd yn rhaid i fi riportio hyn, wrth gwrs," meddai, a'i dafod yn sych fel deilen grin.

"Wrth gwrs," atebaf.

Mater o amser oedd hi felly. O fewn ychydig oriau, fe fyddwn yn cael fy ngorfodi i weld pâr o ddwylo mewn gardd fel gwrthrych annaturiol, sinistr, rhywbeth a fyddai'n troi'n destun trafod uwch tatws stwnsh a rhaglen deledu. Rhywbeth na ellid ei alw'n ffrind. A do'n i ddim yn siŵr mod i'n barod ar gyfer hynny. Yn sicr do'n i ddim yn barod i fod yn destun trafod y stafell athrawon. Do'n i ddim am i'm stori newid ei siâp yn ei cheg hi, o bawb.

I ddweud y gwir, roedd y dwylo'n rhan o 'mywyd

bellach. Yn rhan o strwythur pethau. Taerwn i mi eu teimlo'n byseddu fy ngwallt mewn breuddwydion, a'r cledrau gwynion yn croesawu fy wyneb i'r bore bach. Fe'u dychmygwn yn datod eu hunain o'r ddaear bob nos a chropian o gwmpas y cysgodion fel rhyw greaduriaid gwyn, di-lygad; dau gymar direidus, yn fy ngwarchod rhag nwyfiant y nos, rhag drygioni'r dydd.

Y prynhawn canlynol roedd yr ardd yn orlawn. Roedd Mrs Huws yn cynnig paneidiau o gawl pannas dros y wal, roedd ager yn codi o lyfr nodiadau Petra, roedd Corwynt a'r plant yn chwarae gosod y gynffon ar gymydog, ac roedd Mr Huws â'i ben yn y pridd. Doedd 'na ddim sôn am Heli.

Nac am bâr o ddwylo.

"Beth yn union y'n ni'n edrych amdano te?" meddai Petra, gan brocio'r pridd â ffon fetel. "Ma gwybodaeth ffug yn drosedd ynddo'i hun chi'n gwbod." Gyda hynny mae hi'n sgriblo rhywbeth ar gefn ei llaw.

"Wel, welodd Henri hi'n claddu rhywbeth," meddai Mrs Huws dros stêm ei chawl pannas, "a dyw Henri byth yn gweud celwydd."

Mae Mr Huws yn codi'i ben.

"Welais i hi'n claddu rhywbeth," meddai, a'i wyneb yn chwys i gyd.

Dyma'r tro cyntaf ers i mi eu darganfod na allwn ddod o hyd iddyn nhw. Roedd y pridd yn berffaith lyfn, fel pe na bai'r un pâr o ddwylo erioed wedi twrio yno.

"Ond beth os mai corff oedd e?" meddai Corwynt. Mae pawb yn syllu arno mewn anghrediniaeth, fel petai'r gair 'corff' yn air dieithr i ni i gyd. Petra yw'r gyntaf i chwerthin.

"Corff, ha ha, go dda nawr, Corwynt. Be newch chi â'r gwŷr-tŷ 'ma gwedwch?" meddai, gan roi slap swnllyd iddo ar ei ben-ôl. "Amser i rywun ddechrau paratoi'r swper, weden i, hmmm?"

A chyda hynny, maen nhw'n colli diddordeb, yn casglu'r plant ac yn mynd adre.

"Ti'n cuddio rhywbeth," meddai Mr Huws. "A wnelir liw nos a welir liw dydd, fy merch i."

Caeodd y drws yn glep ar ei ôl.

Mae Mrs Huws yn gofyn am ei mygiau yn ôl dros y wal, a dyna fu ei diwedd hi. Am rai oriau, beth bynnag.

Erbyn i Heli gyrraedd y tŷ roedd hi wedi dechrau tywyllu. Yn amlwg o'r ffordd yr oedd hi'n sefyll, roedd hi wedi clywed y stori, a'i chwilfrydedd wedi trechu ei chasineb. Penderfynais beidio â chyfaddef nad oedd 'na ddim i'w weld. Roeddwn am wybod sut deimlad oedd ei gweld hi'n camu i mewn i'r tŷ, hyd yn oed os oedd hynny ar delerau ffug. Ni chefais fy siomi. Lledodd rhyw gryndod rhyfedd trwy flaenau fy mysedd.

"Hai, Awen." Roedd hi'n pwyso'n erbyn y wal, fel petai'n meddwl na fyddai ei ffieidd-dod yr un mor amlwg ar ongl.

"Heli." Yr wyf yn yngan ei henw fel y dyliai gael ei yngan, fel petai fy ngheg yn llawn halen.

"Ym, ga i ddod mewn?"

Rydw i'n agor y drws led y pen ac yn ei harwain tuag at yr ardd, heb dorri gair.

Mae'r lloer uwch ein pennau a'r glaswellt fel plu arian dan ein traed. Ac yno, mor wyn ag erioed, y mae'r dwylo. Maen nhw'n ymestyn i fyny tua'r golau, yn cynnig offrwm o ddiolch. Mae Heli'n penglinio wrth eu hymyl. Am eiliad, rwyf i'n obeithiol. Dychmygaf baned gynnes dan y lloer, y ddwy ohonom yn diosg ein sliperi ac yn trafod ffaeleddau'r system addysg. Yn rhyfeddu at y pethau bychain sy'n ynysu person.

Ac yna mae'r freuddwyd yn toddi, fel esgidiau plastig ar reiddiadur.

"Sdim byd 'na," meddai hi, gan godi ar ei thraed.

"Beth?" Camaf yn nes tuag ati, fy llais yn galed, am unwaith. Mae Heli'n cymryd cam yn ôl.

"Ffars yw hyn," meddai eto, yn uwch y tro hwn. "Jyst fel ti."

Yr wyf yn cymryd cam arall tuag ati. Mae hi'n cymryd cam arall yn ôl. Yn sydyn, o gornel fy llygad, gwelaf rywbeth anhygoel. Gwelaf y dwylo gwynion yn ystwytho. Y bysedd yn deffro a'r cledrau'n symud. Yn symud. Yr eiliad honno roedd y cyfan yn gwneud synnwyr perffaith. O'r diwedd roeddwn yn gwybod yn iawn dwylo pwy oedden nhw, pam roedden nhw yna, a beth fyddai diwedd y stori. Roeddwn yn gwybod yn union beth yw'r pethau bychain sy'n ynysu person.

Neidiodd Mr Huws ar ben y wal yn ddirybudd a'i fisglwyf yn ei anterth unwaith eto. Roedd ganddo uchelseinydd ar ei ysgwydd ac roedd e'n gweiddi "ANGAU! ANGAU! ANGAU!" yr holl ffordd i lawr y stryd, a hyn oll tra symudai Corwynt i mewn ac allan o'i wraig benstyfnig, tra sglaffiai'r plant eu llygod siocled gwyn yng ngolau torts, a thra eisteddai Mrs Huws o flaen newyddion deg gyda chlustog dros ei phen. A Heli'n symud yn nes, ac yn nes, ac yn nes at y dwylo gwynion, egnïol y tu ôl iddi. Tan ei bod hi'n ddigon agos iddyn nhw afael yn dynn am ei harddyrnau. Ac roedd 'na rywbeth yn eu cyffyrddiad oedd yn rhy gyfarwydd o lawer iddi. Yr un croen caled. Yr un casineb.

Boddwyd ei sgrech gan yr uchelseinydd.

"Ac yna wedodd hi, wfft i chi i gyd, chi a'ch nonsens, dwi ddim ishe byw 'ma rhagor. Alla i ddim ymdopi 'da'r holl beth. Ac off â hi. Pacio cês a gadael popeth. Sterics llwyr jyst achos bod Mr Huws druan bach yn fregus ei feddwl. Anhygoel."

Mae fy nghriw dethol, sef tri dyn llychlwyd a dwy fenyw sy'n edrych fel hwyaid cysetlyd, yn llyncu pob gair.

"Wel o'dd hi wastad yn un tamed bach yn od, on'd oedd," meddai Melys Mathemateg wrth rwbio ei choesau o flaen Frank y Ffisegydd. "Ti'n meddwl bod angen i fi 'u siafio nhw?" Mae llygaid Frank yn gwyro i'r ochr fel pendil.

"Wedodd hi oedd hi'n dod 'nôl?" gofynnodd Gorila.

"Wedodd hi bod hi byth bythoedd am ddod 'nôl a bod hi'n casáu'r ysgol, a popeth am y lle 'ma. Bod hi erioed wedi teimlo mor anhapus yn unrhyw le. Mor ynysig, ie, dyna'r gair ddefnyddiodd hi wy'n credu."

"Wel, fydd hynny ddim yn golled enbyd, fydd e?" meddai Sophia Seiberneteg, gan gau ei gwên yn ei chluniadur.

Gyda hynny mae'r gloch yn canu.

"Tara, Awen, gweld ti heno," meddai corws o leisiau cras.

Rwyf i'n cerdded tua'r drws. Wrth weld fy llaw ar y ddolen arian, gwelaf unwaith eto bâr o ddwylo gwynion o flaen fy llygaid. Meddyliaf amdanynt nawr, yn gyfanwaith cyfoethog o dan y pridd, yn hollol fodlon eu byd. Yn gyfan o'r diwedd. Y gwyn a'r du yn cysgu, y naill yn drwm ar ysgwydd y llall. Ac unwaith eto, rwyf yn argyhoeddi fy hun fod yr hyn a wnes i'n berffaith naturiol. Yn gyfiawn, hyd yn oed. Ei dwylo hi oedden nhw, wedi'r cyfan, hi piau nhw.

Efallai fod Mr Huws yn iawn. Cyn i'w gof gymylu o dan ddylanwad y lloer dywedodd wrthyf ei bod hi'n bosib nad oedden nhw'n bod o gwbl tan y foment honno, mai symbol o ffawd oedden nhw. Yn nodi dyfodiad annisgwyl yr anghyfarwydd yn y cyfarwydd. Onid dyna oedd un o'r pethau bychain a oedd yn ynysu person? Yn ôl Mr Huws, doedd dim rhaid i mi deimlo'n euog o gwbl am wasanaethu ffawd. Roedd gen i rôl a phwrpas, ac ro'n i wedi dilyn y trywydd i'r pen. Arwriaeth ydy peth felly. Roedd hi'n amser i Heli gymryd ei phriod le, roedd y peth yn hollol syml. Yn gwneud synnwyr, hyd yn oed.

Cymaint o synnwyr â phâr o ddwylo mewn gardd gefn.

Gwaed

Busnes cyfrin yw gwaed. Mae e yno trwy'r adeg, yn cythru trwy'ch gwythiennau chi, yn llif anystywallt, wrthi'n cludo'r pethau da at y celloedd, ac yn yr un don feidrol yn cludo'r pethau drwg oddi wrthynt. Y mae'n dwrw tanddaearol dan gaead y croen, yn drobwll o gwmpas y galon, yn gerrynt angenrheidiol sy'n rhaid ei ffrwyno o fewn aberoedd a nentydd y corff, heb iddo gyffwrdd yn ei lannau. Bob eiliad o'ch bywyd, mae'r gwaed yno, yn gwneud ei waith. Ond does neb eisiau ei weld, na'i glywed. Pan ddaw'r gwaed i'r wyneb mae'n arwydd fod bywyd ei hun wedi dechrau diferu allan ohonoch. Fesul deigryn porffor, fe fydd yn araf droi'n ddilyw du.

O leiaf, dyna a gredai Ianto ap Hefin wrth ymlwybro'i ffordd tuag at yr uned waed y bore hwnnw, a'r darn papur tyngedfennol fel dedfryd yn ei law. Roedd e wedi cyrraedd ei bum deg chwech mlwydd oed heb iddo erioed fod yn sâl yn ei fywyd, a doedd e erioed wedi colli diferyn o'i waed. Hyd yn oed yn fachgen bach, roedd ei ddamweiniau'n rhai digon taclus; torri esgyrn fyddai e, yn eu hollti'n lân yn eu hanner, neu'n cael ambell i glais du-las ar ei gnawd gwyn, a'r rheiny'n diflannu o fewn dyddiau. Doedd e byth yn rhoi braw i'w fam trwy rwygo'i hun ar agor fel y gwnâi plant eraill y stryd, a'r rheiny'n byrlymu o waed llachar fel poteli o bop mafon.

Ond nawr roedd yn rhaid ildio – a thywallt y peth mwyaf gwerthfawr oedd ganddo i mewn i ddwylo dieithryn.

"Cer i gymryd y prawf gwaed 'ma er mwyn y mawredd," meddai ei wraig wrtho. "Dyna'r unig ffordd i ni gyrraedd at wraidd y peth go iawn. Os wyt ti ar y ffordd mas, man a man i fi gael gwbod. Fydda i eisie paratoi'n hunan."

Ni ofynnodd hi erioed iddo a oedd *e* wir eisiau gwybod ei ffawd ei hun. Os oedd modd cael gwybod, yna roedd hi eisiau gwybod. Un felly oedd ei wraig.

"Fydd rhaid i fi feddwl lle ydw i'n mynd i fyw," ategodd hithau. "Pan fyddi di wedi mynd. Ma nhw'n adeiladu cwpwl o dai newydd lan sia Abererwau, yn arbennig ar gyfer gweddwon yn ôl y sôn – ond cynta i'r felin fydd hi. Sdim pwynt dili-dalio ynghylch y peth. Alla i byth â byw mewn tŷ mowr fel hyn ar 'y mhen 'yn hunan. A fyddet ti ddim isie gweld fi'n ddigartre, fyddet ti?"

Ac felly dyma lle'r oedd e'n awr, yn ôl ei gorchymyn hi, yn teithio ar hyd y coridorau gwynion, yn meddwl am ddüwch ei du mewn. Am y tro cyntaf yn ei fywyd fe fyddai modd iddo wynebu'r hyn a lechai ym mherfeddion tywyllaf, gwlypaf ei fod.

A phetai'r prawf wedi digwydd ar unwaith, a'r profiad wedi llifo rhagddo'n rhwydd ddigon, bron cyn i Ianto sylweddoli beth oedd yn digwydd, mae'n bosib na fyddai'r peth wedi magu y fath arwyddocâd. Ond roedd cyrraedd at yr uned waed yn orchwyl ynddo'i hun. Roedd pob modfedd o ysbyty Glanmorfa yn cael ei hail-wneud y diwrnod hwnnw, ac fe'i dargyfeiriwyd i seler yr ysbyty, lle roedd 'na uned waed dros dro wedi cael ei sefydlu yn yr hen forg. O ganlyniad roedd 'na forg dros dro wedi cael ei sefydlu yn yr hen uned famolaeth, ac uned famolaeth dros dro yn yr uned geriatrig. Gwelodd ddegau o hen bobl oedrannus yn eu sliperi'n cerdded o gwmpas y coridorau yn chwilio am yr uned geriatrig. "Sdim un i gael 'da ni ar hyn o bryd," meddai nyrs yn swrth wrth un ohonyn nhw. "Ond peidiwch poeni. Dim ond dros dro mae e." Anelodd sawl geriatrig yn syth at y morg yn y cyfamser; o leiaf doedd 'na ddim prinder gwelyau yn y fan honno.

Camodd Ianto i mewn i'r lifft gyfyng gyda chriw o bobl wyngalchog eu gwedd, a suddodd i berfeddion yr adeilad. Ceisiodd beidio â meddwl am y prawf gwaed. Dyna broblem Ianto erioed. Os oedd ei wraig yn hoffi gwneud penderfyniadau, yna roedd Ianto'n hoffi *meddwl.* A'i feddylu diddiwedd am y poenau dirgel yn ei gorff a oedd wedi'i arwain at y fan hon. Roedd wedi'i argyhoeddi'i hun fod 'na rywbeth o'i le. A bron nad oedd ei wraig bellach yn ewyllysio fod hynny'n iawn. Dychmygai y byddai'r canlyniadau annarllenadwy a ddeuai trwy'r post mewn pythefnos yn datgan llai am ei gyflwr meddygol a mwy am y math o gelfi y byddai modd i'w wraig eu prynu ar gyfer ei chartref newydd.

Agorodd y lifft i ddatgelu drysau mawr arian ar ben draw coridor cul. Wrth ymyl y drysau roedd y gair 'Morg' wedi'i ddileu oddi ar yr arwydd a'r gair 'Gwaed' wedi'i ysgraflio arno mewn ysgrifen fras, goch. Gwthiai pawb yn ei erbyn wrth gamu o'r lifft, gyda rhai yn hanner-hercian, hanner-rhedeg i lawr y coridor. Ceisiodd Ianto ei orau i efelychu eu swagr sydyn. *Drychwch arna i,* meddai ei draed, *wy'n edrych ymlaen at hyn gymaint â chi. Cymrwch fy ngwaed! Mae 'da fi ddigon ohono!* Ond gwelodd, wrth gyrraedd, nad oedd gan ruthr y dorf ddim i'w wneud â'u bodlonrwydd i gael eu gwahanu oddi wrth eu gwaed, a'i fod yn fwy i wneud â'r ffaith eu bod yn deall y system – roedd yn rhaid i bawb gael tocyn o beiriant yn y cornel er mwyn achub eu lle yn y ciw, ac roedd pa mor chwim oeddech chi wrth blethu eich ffordd trwy dorf yr ystafell aros ac ymestyn am y tocyn yn effeithio ar ba mor hir y byddai'n rhaid i chi fod yno. Ymdebygai hyn i'r system oedd ganddyn nhw yn yr archfarchnad leol; doedd Ianto byth cweit wedi dygymod â'r system honno, chwaith. Dim ots pa rif oedd ganddo fe, roedd fel petai rhywun arall wastad yn cael y ddwy sleisen olaf o ham cyn iddo gael cyfle i ofyn amdanynt. Dylyfodd tafod gwawdlyd y tocyn o ên y peiriant. Rhif 56. Gobeithiai na fyddai'r rhif hwnnw'n tyfu'n symbolaidd wedi iddo gael y canlyniadau. Meddyliodd eto am ei wraig a gwelodd y rhif 56 yn sgleinio'n euraid arno o ddrws ei thŷ newydd ar ben y bryn.

Wedi rhai munudau o eistedd yn yr ystafell aros, gwelodd Ianto mor ddiffygiol oedd system honedig yr uned waed. Roedd pawb mor gyndyn i siarad â'i gilydd fel nad oedd neb yn hysbysu'r rheiny a ddeuai i mewn yn hwyr fod angen tocyn arnyn nhw o gwbl. Credai ambell un y byddai bod yno yn y lle cyntaf yn ddigonol, gan syllu ar bosteri ar y wal a chlician eu bysedd yn ddiamynedd, heb sylweddoli bod pob eiliad wastraffus, ddidocyn yn eu gwthio ymhellach i gwt y ciw. Er i Ianto barhau mor fud â'r gweddill pan welodd hyn yn digwydd gyntaf, daeth ton o dosturi drosto pan welodd fenyw fach eiddil yn dod i mewn ac yn eistedd ymhell o olwg y peiriant tocynnau, yn gwbl ddiarwybod o'r system.

"Ma eisiau tocyn arnoch chi," meddai Ianto wrthi'n dyner. "Na, na, peidiwch codi, a' i i 'nôl un i chi nawr." Cymerodd un o'r tocynnau triongl a'i gludo draw ati. Clywodd ei hochenaid drom wrth iddi sylweddoli ei bod hi'n rhif 88.

"A pha rif ydych chi?" gofynnodd hi.

"Rhif 56," meddai, gan geisio rhesymu â'i hun unwaith

eto na allai rhif mor ddi-nod â hwnnw fod yn arwydd o unrhyw wendid.

"O, iawn," meddai'r fenyw. "A sut y'ch chi fod gwybod pryd mae eich tro chi?"

"Wel," meddai Ianto, gan ailadrodd yr hyn a glywsai y dyn gyferbyn ag ef yn ei ddweud wrth rywun arall, "mae hynny'n fusnes cymhleth braidd. Petaen ni yn yr uned waed arferol fe fyddai hynny'n ddigon amlwg. Fel arfer bydd 'na beiriant yn y cornel sy'n cyfri'r rhifau fesul un, ac yn fflachio'n goch pan fydd y rhif yn newid, ac yn gwneud sŵn fel hyn – bip!"

"O, reit," meddai'r fenyw, gan edrych yn ddryslyd o'i chwmpas am y teclyn hwnnw.

"Ond does 'na ddim y fath beth fan hyn," meddai Ianto. "Uned dros dro yw hi, felly doedd dim pwynt dod â'r peiriant lawr fan hyn, ma'n debyg."

"Felly, pwy sydd i wybod pwy sydd nesa...?" gofynnodd y fenyw.

"Does neb *yn* gwybod," meddai menyw arall o gornel yr ystafell. "Mae 'na rai'n mynd i mewn, a rhai'n dod mas, a ma'n rhaid i chi weld eich cyfle. Dyna'r system fan hyn."

"Ond pa fath o system yw hynny?" meddai Ianto.

"System *dros dro*," meddai rhywun arall, gan ochneidio.

"On'd yw hi'n well gofyn i'r sawl sy'n gadael pa rif sydd ganddyn nhw ac i'r rhifau ddilyn eu trefn arferol?" gofynnodd Ianto, gan adael i'r cwestiwn ddiflannu i'r aer difywyd o'i gwmpas.

Edrychodd pawb ar eu sgidiau. Roedd hi'n amlwg fod yr hyn yr oedd Ianto yn ei awgrymu yn golygu cydweithio;

siarad â'i gilydd. Cyfathrebu. A doedd neb yn hoff iawn o gyfathrebu, yn enwedig mewn uned waed. Yn y morg, yr uned famolaeth, neu hyd yn oed ar y ward geriatrig, fe fydden nhw'n fwy na pharod i gydweithio, ond roedd lle fel hyn yn codi gormod o gwestiynau am yr hyn oedd yn bod ar hwn, llall ac arall, a phawb yn ofnus y byddai'r geiryn lleiaf yn arwain at gyffyrddiad heintus o ryw fath. Roedd hi'n amlwg iawn pam roedd rhai ohonyn nhw'n cael eu profi – y rhes o fenywod ifainc a'u boliau'n ymchwydd distaw o dan eu blowsys llac, er enghraifft – ond roedd 'na rai eraill, y dyn ifanc yn y cornel a oedd yn aflonydd fel pili-pala, yn taro'i ben yn erbyn y wal bob hyn a hyn, neu'r fenyw ganol-oed a oedd yn araf droi'n felyn fel banana yn y golau gwan, wel, doedd dim dal beth oedd yn cythru trwy eu gwaed nhw.

Yn enw trefn, penderfynodd Ianto fod yn rhaid i rywun adfer y sefyllfa. A dyna pam, pan ddaeth y claf diweddaraf allan o un o'r ystafelloedd prawf, y penderfynodd fynd yn syth at lygad y ffynnon.

"Pa rif oeddech chi, syr?" meddai, gan geisio swnio'n awdurdodol.

"Ym, rhif 17 dwi'n meddwl," meddai yntau, gan edrych yn ddryslyd o'i gwmpas.

"Iawn, diolch syr. 17 felly! Ry'n ni ar rif 18! 18 nesaf!" meddai Ianto, gan deimlo'n falch iddo achub y dydd. Gwenodd y fenyw eiddil arno'n werthfawrogol.

Menyw mewn sodlau uchel a oedd ar ganol teipio rhywbeth ar sgrin ei chluniadur oedd rhif 18. Cyn iddi gyrraedd at y drws, dyma rywun arall yn gweiddi.

"Mae hynny'n amhosib! Rhif 15 ydw i a dwi ddim wedi bod i mewn eto! Roedd y dyn yna'n dweud celwydd! Drychwch!"

Gadawodd hon i'r rhif 15 gyhwfan yn bowld yn yr aer cyn codi ar ei thraed a gwthio heibio i fenyw rhif 18. Eisteddodd rhif 18 drachefn gan edrych yn bwdlyd ar ei horiawr.

"Dwi fod 'nôl yn y swyddfa mewn chwarter awr," meddai. "Ma hyn yn chwerthinllyd!" Aeth 'nôl i deipio drachefn.

Beth oedd yn llygru gwaed hon tybed? meddyliodd Ianto, gan syllu arni dros rimyn ei chluniadur. Efallai mai ar fin dod yn fam oedd hi. Doedd hi ddim yn edrych yn feichiog, o bell ffordd, er ei bod hi tua'r oedran iawn i gael babi. Blwyddyn neu ddwy arall, ac fe fyddai'n rhy hwyr iddi, siŵr o fod – ac os nad oedd hi'n rhy hwyr, yna fe fyddai hi'n sicr wedi blino gormod i fagu'r babi, yn ôl yr olwg flinderus a oedd arni'n awr. Cofiodd yr adeg pan gyrhaeddodd ei wraig yr oedran bregus hwnnw. Bu'n rhaid i'r ddau ohonynt fynd am brofion bryd hynny. Prawf a chanddo drefn ddigon manwl, meddyliodd, gan gywilyddio wrth gofio amdano. Ond pan ddaeth y canlyniadau'n ôl, datgelwyd mai hi oedd â'r broblem, nid fe, am unwaith. Bron nad oedd ei wraig yn gobeithio y byddai'r prawf hwn yn gyfle iddo yntau deimlo'r un gwendid ag a deimlasai hithau, yr holl flynyddoedd 'na'n ôl.

"Reit, wel, os ydy rhif 15 newydd fynd i mewn yna ry'n ni'n edrych am rif 16 nawr," meddai Ianto, gan gerdded o gwmpas yr ystafell yn edrych ar docynnau hwn, llall ac arall. "16?"

Atebodd neb.

"17?"

Dim ateb eto.

"21, rhif 21 ydw i," meddai rhywun o ben draw'r ystafell.

"Iawn," meddai Ianto. "Beth am rif 20?"

"Buodd rhif 20 farw," meddai rhywun. "Sdim isie i ni boeni amdano fe. Digwyddodd e wrth iddo fe estyn am y tocyn y peth cynta bore 'ma. Whare teg, sorton nhw fe mas yn eitha cloi. Gymron nhw fe o 'ma mewn eiliad. Dim ond cwpwl bach o ni odd 'ma pryd 'ny. Ond, fel gallech chi ddisgwyl, do'dd neb yn ffansïo cymryd y tocyn wedyn."

"Iawn," meddai Ianto, wrth i'w galon ddechrau tynhau yn ei frest. Ai dyna fyddai ei dynged e pe na bai'n cael y prawf hwn? Un eiliad fe fyddai'n gwneud rhywbeth cwbl arferol, fel estyn am docyn, a'r eiliad nesaf fe fyddai ar ei hyd mewn morg – ac nid hyd yn oed mewn morg go iawn, ond un dros dro. Dychmygodd ei wraig yn hau blodau yn ei gardd newydd, er cof amdano. "O'dd e'n shwt ddyn ffeind," byddai hi'n dweud wrth ei chymydog newydd – a hwnnw'n ŵr gweddw bach pen moel a chanddo ddannedd newydd-sbon. Yna, dychmygodd y byddai ei wraig yn cyffwrdd â'i gwallt ac yn gofyn i'w chymydog yn chwareus: "Licech chi ddod draw i swper heno?"

Yr eiliad honno fe'i pwniwyd yn ei asennau gan y fenyw eiddil wrth ei ochr, nad oedd mor eiddil fel mae'n digwydd, a chanddi gyffyrddiad reslwr. Dygwyd ei wynt oddi arno. Tynhaodd ei frest fymryn yn fwy.

"Mae rhif 19 wedi mynd i'r tŷ bach," sibrydodd hi. "Oedd e'n methu aros medde fe. 'Na'th e ofyn i fi gadw lle iddo fe."

"Reit, wel, i fod yn deg, os na fydd e 'nôl erbyn i'r drws 'na agor bydd yn rhaid i rywun arall gymryd ei le," meddai Ianto'n ddigon uchel i'r gweddill ei glywed.

"Fydde'r system byth yn gweithio pe bai pawb yn cadw lle i rywun sy ddim yma!"

Cynhyrfodd y dorf. Llifodd y tensiwn i grombil yr ystafell – dyma'r peth mwyaf diddorol a oedd wedi digwydd trwy'r bore. Cadwodd rhywrai eu llygaid ar fynedfa'r uned waed ac eraill eu llygaid ar ddrysau'r ystafelloedd prawf. Roedd yr ystafell wedi'i rhannu'n ddwy garfan – y rheiny a fyddai wrth eu boddau pe bai'r dyn yn dod 'nôl o'r tŷ bach ac yn colli ei le, a'r rheiny a oedd yn credu mewn cyfiawnder, ac yn credu y dylai system linellol, gywir roi'r un chwarae teg i bawb. Yn sicr ddigon, fe agorodd tri drws yr ystafelloedd prawf ar yr un pryd ac fe ddaeth tair nyrs i'r golwg, gan weiddi "Nesaf!" mewn unsain. Y peth mwyaf synhwyrol, meddyliodd Ianto, fyddai i'r nyrsys eu hunain fod yn gyfrifol am drefnu'r rhifau, ac fe geisiodd achub ar y cyfle i dynnu un ohonynt i'r naill ochr.

"Alla i gael gair 'da chi?" meddai.

"Fi braidd yn fisi nawr," meddai'r nyrs. "Os nag y'ch chi 'di sylwi, syr, ma 'na lot o bobl yma angen profi eu gwaed."

"Ond dyw'r system rhifau 'ma jest ddim yn gweithio," meddai. "Sneb yn gwybod pwy sydd nesa a'r peth mwyaf synhwyrol i chi ei wneud, os ca i fod mor hy â chynnig hyn, yw, wel, cadw cofnod o'r rhifau eich hunain."

"Mae 'na dair ohonon ni," meddai'r nyrs yn chwyrn. "Mewn tair stafell wahanol. Dwi ddim yn gwybod beth sy'n mynd mla'n yn eu stafelloedd nhw, a dy'n nhw ddim yn gwybod beth sy'n mynd mla'n yn fy stafell i. Felly fe fydde hi'n anodd iawn i gadw trefen. Heb sôn am yr elfen o gyfrinachedd – allwn ni ddim dewis ein rhifau – mae hynny'n erbyn polisi'r ysbyty. Nage'r loteri yw hyn, syr. Nawr esgusodwch fi – nesa!"

Rhuthrodd rhif 18 i'r ystafell, ac aeth 21 yn chwim ar ei hôl. Ymhen dim, lleolwyd rhif 22, ac aeth hwnnw i mewn hefyd, dim ond i ddod 'nôl ar unwaith, gan mai chwilio am yr uned *rhoi* gwaed oedd e, nid profi gwaed. Rhythodd pawb ar y brolgi bochgoch hwn, y sawl yr oedd ganddo gymaint o waed iach roedd e'n barod i'w rannu ag eraill. Y sawl a fyddai'n rhoi ei waed o ddewis, nid o anghenraid. Nid mewn ofn, ond gyda gwên hyd yn oed. Cododd y fenyw-felen ddau fys arno wrth iddo droi ei gefn.

Wrth i rif 23 hercian ei ffordd allan o'r ystafell brawf ar ffyn-baglau, fe ddaeth rhif 19 yn ôl i mewn i'r ystafell ac eistedd i lawr. Lledodd distawrwydd dros y dorf. Unrhyw eiliad nawr, roedd rhif 19 yn mynd i droi i ofyn i rywun pa rif oedd nesaf a sylweddoli ei fod wedi colli ei le. Penderfynodd Ianto gymryd yr awenau unwaith yn rhagor.

"Esgusodwch fi," meddai, gan gamu'n nes at y dyn. "Dwi jest yn rhoi gwybod i chi – yn anffodus, ry'ch chi wedi colli eich lle."

"Beth?" Syllodd y dyn arno mewn anghrediniaeth, cyn amneidio ei ben tuag at y fenyw eiddil yn y cornel. "Ond fe ofynnais iddi hi gadw lle i fi."

"Sori," meddai'r fenyw, a'i llais yn gryg o ddagrau ffug. "Wnaethon nhw droi arna i, allwn i ddim eu stopio nhw..."

"I fod yn deg," meddai Ianto. "Allwch chi ddim disgwyl i ddieithryn ymladd ar eich rhan chi. Os nad y'ch chi'n nabod y fenyw 'ma..."

"Ond dim ond i'r tŷ bach es i!" meddai yntau. "Tasen i wedi mynd mas i ffonio, neu i nôl bar o siocled, neu neud rhywbeth arall, fydden i'n deall. Fydde hynny'n rhywbeth hunanol – dianghenraid. Ond mae greddf naturiol y corff yn galw. Beth fydde well 'da chi 'ngweld i'n neud? Gwneud sioe o flaen pawb?"

Fe ysbrydolodd y sylw hwn drindod o fenywod beichiog, a gododd yn sydyn ar eu traed chwyddedig.

"Ry'n ni'n datgan ein hawl gyfreithiol i fynd i'r tŷ bach," meddai'r tair gyda'i gilydd. "Heb golli ein lle yn y ciw. Fel menywod sydd mewn cyflwr bregus, mae ein hangen i esgusodi ein hunain yn bwysig iawn. Mae ganddon ni bledren lai na phawb arall."

"Ond does dim hawl gyfreithiol gan unrhyw un mewn uned waed, siawns," dechreuodd rhywun arthio o ben draw'r ystafell. "Yr hawl i gael prawf gwaed, a dyna ni, does 'na ddim hawliau tu hwnt i hynny. Does gan y gyfraith ddim byd i'w wneud â gwaed."

"Dwi'n gyfreithwraig," meddai un o'r menywod beichiog. "A dwi wedi llunio dogfen ddrafft fan hyn sydd yn nodi'n glir bod hawl gen i fynd i'r tŷ bach heb golli fy lle, a dwi'n gwneud hynny ar ran pob un arall yma sydd mewn cyflwr bregus."

"Ond ry'n ni i gyd mewn cyflwr bregus," meddai dyn a oedd yn pwyso'n erbyn y wal. "Neu fyddai dim angen cymryd samplau o'n gwaed ni yn y lle cynta."

Cafwyd seibiant anghyfforddus wrth i bawb ystyried eu sefyllfa fregus eu hunain. Yn y cyfamser, cyrhaeddodd un o swyddogion yr ysbyty er mwyn casglu'r samplau gwaed i'w cludo i'r labordai. Agorodd y drysau a rhoddwyd hambwrdd o samplau iddo gan y nyrsys, oll yn ddestlus yn eu lle fel gwin cymun. Gosododd y swyddog rhain yn ddiogel yn ei gês, cyn chwibanu ei ffordd tua'r labordai. Meddyliodd Ianto mor rhyfedd ydoedd, gwaed yr holl ddieithriaid yma'n eistedd ochr yn ochr yn y tywyllwch, yn rhifau a ffigurau. Darn mwyaf personol rhywun, mewn gwirionedd, yn cael ei weld gan eraill, gwead cymhleth y bod dynol yn cael ei archwilio gan ddieithriaid. Tybed a fydden nhw'n meddwl am y claf pe baen nhw'n ffeindio rhywbeth? Rhyw afiechyd heintus, marwol. A fydden nhw'n meddwl y tu hwnt i'r tiwb gwydr clir ac yn gweld y person? Tybed a oedd hi'n bosib i rywun deimlo tosturi dros rif? "Trueni mowr am rif 56," dychmygodd rhyw ddoctor ifanc yn dweud, cyn diosg ei got wen ac anghofio'r cwbl amdano.

Yn hwyr neu'n hwyrach fe fyddai ei dro ef yn dod, sylweddolodd Ianto, ac fe fyddai'n rhaid iddo ildio ei fraich i'r nyrs. Fe fyddai'r nodwydd fain yn palu i'r wythïen ddirgel, yr hylif porffor yn cludo cyfrinachau ei gorff i fyny'r coridor clir, ac fe fyddai wedi dechrau ar y broses o wybod y pethau doedd neb eisiau eu gwybod mewn gwirionedd, sef beth oedd wir yn digwydd y tu 'nôl i ddrysau dirgel y corff.

Ei ddewis ef, wrth gwrs, oedd gwybod. Gwnaeth y doctor hynny'n berffaith glir. Beth bynnag a ddywedai ei wraig, ei waed e oedd e.

"Fe allwch chi wybod, neu beidio â gwybod," dyna ddywedodd y doctor wrtho, wrth gnoi ei bensel yn ddi-hid. "Os bydd y prawf yn bositif, mae'n dibynnu beth y gallwn ni wneud. Os bydd y prawf yn negatif, wrth gwrs, gallwch chi fyw eich bywyd heb yr... wel, heb yr ofn mawr 'ma. Oherwydd mae'n ddigon posib, Mr ap Hefin, mai'r ofn sy'n achosi'r poenau 'ma yn y lle cyntaf."

Byw heb ofn. Mor soniarus oedd y geiriau hynny; mor ymddangosiadol syml oedd y weithred. Cerdded ar hyd y stryd a'r haul yn diferu drosto. Ei feddwl yn bur ac yn lân fel yr wybren uwch ei ben. Ond wedyn – pe bai'r prawf yn bositif, byddai hi'n stori wahanol. Y cymylau duon yn cronni, a phob hoelen a âi i mewn i greu pentref gweddwon Abererwau yn hoelen ychwanegol yn ei arch ef. Onid oedd hi'n well mewn gwirionedd i fyw fel yr ydoedd nawr, yn y gofod rhwng y ddau beth? Rhwng amheuaeth a sicrwydd? Doedd dim rhaid i'r awyr las dduo'n gyfan gwbl. A gallai fyw ei fywyd, siawns, fel pawb arall, gyda dogn hael o ofn ymhlyg ym mhocedi ei siaced, heb fod neb ond efe yn gwybod amdano. Ac yna, petai'n syrthio'n farw yn y fan a'r lle, siawns na fyddai'n teimlo dim – fe fyddai wedi gadael y byd hwn mewn chwinciad, heb orfod dychmygu'r peth, heb orfod paratoi, yn union fel y daeth i'r byd. Gallai syrthio'n farw wrth estyn am ei docyn yn yr archfarchnad – a siawns, wedyn, y byddai'r cwsmer o'i flaen yn difaru peidio â chynnig y ddwy sleisen olaf o ham iddo fe.

Roedd ganddo ddewis o hyd, meddyliodd, wrth weld y rhifau 53, 54, a 55 yn mynd i mewn, a'i dro ef yn agosáu. Doedd e ddim wedi cynnig yr un diferyn o'r gwirionedd i'r ysbyty eto. Doedd dim rhaid i'w waed adael ei gorff. Hyd yn oed os oedd e'n waed amherffaith, ei waed e oedd e, a theimlai'n gyndyn, yn sydyn, i'w rannu ag unrhyw un. Pa hawl oedd gan ei wraig i fynnu ei fod yn cael gwybod y gwirionedd? Sythodd ei gefn; teimlodd egni newydd yn ei draed. Gwelodd fod ganddo fwy nag un dewis. Doedd dim rhaid iddo aros gyda'i wraig hyd yn oed. Gallai ei gadael – onid oedd dynion ei oedran ef yn gwneud hynny bob dydd? Gallai fyw gyda'i ofn bach cysurlon ei hun, wedyn, heb angen ei rannu â neb. Fyddai ei wraig ddim yn cael mynediad i bentre'r gweddwon, a theimlodd Ianto ryw ysfa sbeitlyd i'w chadw rhag y muriau disglair hynny.

Roedd yn rhaid iddo adael, a hynny ar frys. Yr eiliad honno, fe ddaeth claf newydd i mewn i'r ystafell aros. Roedd hi mewn cadair olwyn, ac er ei breuder ymddangosiadol roedd fel petai hi'n gwbl gyfarwydd â'r uned waed, gan sgrialu ei ffordd at y peiriant tocynnau, cyn rolio 'nôl i fyny'r llawr leino wrth ei ymyl, heb hyd yn oed edrych o'i chwmpas i weld pa rif oedd gan bawb arall. Doedd arni hi ddim awydd siarad â neb, chwaith – cymerodd lyfr allan o'i bag llaw a phlymio ei phen rhwng y tudalennau trwchus. Edrychodd Ianto i lawr ar y rhif yn ei llaw, rhif 94. Wrth i'r fenyw ymestyn am sbectol yn ei bag, gwelodd Ianto ei gyfle i chwipio'r 94 oddi arni ac ailosod y rhif 56 yn ei chôl. Hi fyddai'r nesaf, felly. Roedd e'n rhydd. Ei waed yn ddiogel tan gnawd.

"Nesaf!" gwaeddodd y nyrs.

Parhâi'r fenyw yn y gadair olwyn i ddarllen.

"Dwi'n meddwl taw'ch tro chi yw hi," meddai wrthi.

"O na, sai'n meddwl 'ny bach, newydd ddod mewn ydw i."

"Wir nawr, edrychwch ar eich tocyn, 56. Rhif 56 sydd nesa ontefe?" meddai gan godi ei ben er mwyn ceisio annog cytundeb oddi wrth y rheiny o'i gwmpas.

"Wel ie," meddai un, "ond os nad yw 56 'ma, wy mewn hast i fynd mewn, felly..." meddai un dyn wrth geisio mynd at y drws.

"Na, na," meddai Ianto. "Mae 56 fan hyn, on'd y'ch chi?"

Edrychodd y fenyw mewn cadair olwyn yn ddryslyd arno.

"Nage rhif 56 ges i pan ddois i mewn, ond rhif 56 sydd gen i nawr!"

"Jest cerwch mewn er mwyn Duw!" meddai rhywun. "Ni'n gwastraffu amser fan hyn!"

"Ond wy wedi dod â llyfr 'da fi i ddarllen!" meddai hi. "Ac mae e'n un da 'fyd. Wy isie gwbod beth sy'n digwydd. Wy 'di cyrradd y pwynt nawr lle ma'r fenyw 'ma, wel ma hi wedi colli ei bys a sneb yn gwybod pam a ma nhw ar fin datgelu sut y collodd hi ei bys, a ma fe rwbeth i neud â'r gŵr 'na sydd 'da hi a wel… a wel… y pwynt yw, wy 'di safio'r penodau yma'n bwrpasol ar gyfer aros fan hyn – mae gen i bum deg tudalen ar ôl ac mi ddyle hynny, yn ôl y ffordd dwi'n darllen, gymryd pum deg munud, fydd yn ddigon i fi orffen y llyfr a wedyn ga i fynd am fy mhrawf gwaed! A wedyn fydda i 'di cwpla mewn pryd i gael lifft gan fy mab i gael gneud fy ngwallt! Wy'n dod 'ma bron bob wthnos. Ma system i ga'l 'da fi!"

Cydiodd Ianto yn nwy ddolen y gadair olwyn, a gwthiodd y fenyw i mewn i'r ystafell brawf heb roi cyfle iddi brotestio rhagor. Ciciodd y drws ar agor gyda'i droed, gan wneud iddi ollwng y llyfr bondigrybwyll ar lawr yr ystafell aros. Gwasgarodd y tudalennau brau fel adenydd dros bob man.

"Ewch 'nôl!" gwaeddodd y fenyw. "Ewch i 'nôl fy llyfr i! Nyrs! Dwi erioed wedi gweld hwn o'r blaen! Mae e wedi fy herwgipio i! Fe sydd nesa am brawf gwaed, nid fi!" Mewn un symudiad slic, roedd y fenyw wedi rholio'n ôl allan o'r ystafell a chau'r drws yn glep ar ei hôl. Syllodd y nyrs ar Ianto.

"Syr, ga i ofyn i chi eistedd lawr, plis," meddai, gan ymestyn am ei nodwydd.

"Ond dwi ddim eisiau i chi gymryd 'y ngwaed i!"

"Gadewch i ni weld," meddai'r nyrs, gan gymryd y daflen wen oddi wrtho. Yr oedd Ianto wedi anghofio bod hon yn sownd yn ei law, ac yn bradychu pob manylyn am ei gyflwr. "A, dwi'n gweld," meddai'r nyrs. "Un o'r profion 'ma yw e. Synnech chi faint o ddynion 'ych oedran chi sy'n cael y prawf 'ma, syr. Wir, dyw hanner nhw ddim yn dod 'nôl yn bositif. Sdim byd i boeni amdano."

Hanner, meddyliodd Ianto, gan deimlo poen yn ei frest unwaith eto. Ildiodd ei goesau i'r sedd o'i flaen. Hanner yn dod 'nôl yn negatif, a'r hanner arall yn cael eu troi'n dalp o farmor mewn gardd goffa ym mhentref y gweddwon.

"Pinsied bach fydd e," meddai'r nyrs, gan wenu.

Cyn iddo allu protestio rhagor, clymwyd gwregys bychan o gwmpas ei fraich ac amsugnwyd y gwaed ohono mewn un dracht cyflym. Wedi iddo ailagor ei lygaid roedd y gwaed yn y tiwb, yn cael ei osod ochr yn ochr â channoedd o diwbiau eraill. Fedrai Ianto ddim goddef meddwl am y gwaed hwnnw'n cael ei wahanu oddi wrtho, ac fe gododd ar ei draed a cheisio ei ddisodli. Ond roedd e'n sownd yn ei le, a doedd dim dewis ganddo ond cymryd yr hambwrdd cyfan o samplau yn ei freichiau.

"Syr," meddai'r nyrs, gan blethu ei breichiau mawrion. "Wnewch chi plis roi hwnna 'nôl i fi? Does neb ond y nyrsys yn cael trafod y gwaed."

"Na," meddai Ianto, gan dynhau ei afael. "Nid nes mod i'n cael fy sampl i'n ôl."

Gosododd y nyrs ei breichiau boncyffiog am yr hambwrdd, a cheisiodd dynnu'r cyfan oddi wrtho.

Defnyddiodd Ianto bob modfedd o egni oedd ganddo er mwyn dal ei afael arno, a phan welodd ei gyfle, rhedodd allan trwy'r drws a'r samplau'n clincian yn ei freichiau. Clywodd y nyrs tu 'nôl iddo'n gweiddi.

"Mae e wedi dwyn y samplau gwaed i gyd! Cerwch ar ei ôl e!"

Rhedodd Ianto nerth ei draed. Cyrhaeddodd ddrysau'r lifft, a chwiliodd am y botwm i'r fynedfa. Ond gwrthododd y lifft gau. Gwasgodd a gwasgodd. Caeodd y drws ryw fymryn, ond gan adael digon o ofod i rywun wasgu ei ffordd i mewn. Trwy'r drws cilagored gwelai lif o bobl yn carlamu tuag ato, a'r fenyw yn ei chadair olwyn yn arwain y criw, yn mynd fel cath i gythraul, a thudalennau ei llyfr yn sownd yn yr olwynion. *Maen nhw am dy waed di*, byddai ei wraig wedi dweud.

Croeso iddyn nhw ei gael e, meddyliodd, wrth benderfynu mai'r peth gorau i'w wneud oedd ildio'r gwaed yn y fan a'r lle. Taflodd yr hambwrdd o samplau trwy'r drws a gadael i'r cyfan chwalu ar y llawr leino gwyn, nes nad oedd modd gweld yr un rhif na'r un darn o wydr, dim ond un pwdel gwaedlyd o flaen y lifft. Stopiodd y dorf yn stond. Roedd gwaed ym mhob man, gwaed dieithriaid yn ffrydio ar hyd y gwynder, a neb eisiau mynd ar ei gyfyl. Gwelodd y porffor a'r piws a'r coch dienw yn cymysgu â'i gilydd, yn creu rhyw indigo afiach ar lawr, a chyn i unrhyw un allu mynnu mai ef, a neb arall, oedd yn gyfrifol am y llanast gwaedlyd, fe gaeodd drysau'r lifft yn ddiogel amdano.

Dros dro, o leiaf.

Awr y Locustiaid

Yna daeth Moses ac Aaron at Pharo a dweud wrtho, "Fel hyn y dywed yr Arglwydd, Duw'r Hebreaid: Am ba hyd yr wyt am wrthod ymostwng o'm blaen? Gollwng fy mhobl yn rhydd, er mwyn iddynt fy addoli. Os gwrthodi eu rhyddhau, fe ddof â locustiaid i mewn i'th wlad yfory; byddant yn gorchuddio wyneb y tir fel na ellir ei weld, yn bwyta'r ychydig a adawyd i chwi ar ôl y cenllysg, ac yn bwyta pob coeden o'ch eiddo sy'n tyfu yn y maes. Byddant yn llenwi dy dai, a thai dy weision i gyd... mewn modd na welwyd ei debyg gan dy dadau na'th deidiau, o'r dydd y buont ar y ddaear hyd heddiw."

Exodus 10: 3

LOCUSTIAID OEDDEN NHW, meddyliodd Esyllt, wrth weld yr un hen greaduriaid cyfarwydd yn cripian i mewn i Neuadd y Sir. Pryfed â choesau hir, a'u cyrff wedi crymu'n barod ar gyfer y naid fawr – dyna roedd hi'n ei weld o'i blaen yn hytrach na'r bobl ganol-oed barchus yr oedden nhw'n esgus bod. Llwyth annifyr, swnllyd ohonyn nhw'n ymestyn i bob man ac yn gadael trywydd trioglyd ar eu holau. Noson deyrnged i'w thad oedd yr achlysur heno i fod, arddangosfa o'i weithiau gorau, a hithau eisiau teimlo'r balchder o fod yno, fel ei unig ferch, ond eisoes gwelai mai noson i gofio eu pwysigrwydd nhw'u hunain fyddai hi i'r locustiaid, wrth i'r amryw o rywogaethau gwahanol, honedig-ddiwylliedig, lafoerio dros rimyn eu gwydrau gwin, cyn sbecian arni trwy gil eu llygaid.

Amhosib dweud, weithiau, i ba gyfeiriad y byddai locust yn symud nesaf, am mai dwy sofren fawr flewog oedd eu llygaid, a rheiny'n datgelu dim.

"Esyllt!" Daeth y llais siwgraidd o gornel y neuadd, ac yna mewn chwinciad roedd yr afiach-beth wrth ei hymyl. Rhonwen Rhun oedd hon, un o locustiaid yr anialdir, y *schistocerca gregaria*, a chanddi'r gallu anhygoel i fod mewn sawl man ar yr un pryd, ond wastad ar ei phen ei hun. Bron nad oedd Esyllt eisoes yn teimlo'i choflaid yn dechrau ymafael â rhywun arall ym mhen draw'r neuadd. Un felly oedd Rhonwen. Yn siarad gyda chi tan y deuai cyfle i siarad â rhywun gwell, a chithau wedi'ch dal mewn cadwyn gymhleth o gofleidiau. Doedd neb byth yn siŵr iawn beth oedd gwaith Rhonwen, ond byddai hi ym mhob un digwyddiad Cymreig, yn neidio ar gefn hwn, llall ac arall, gan geisio gwenwyno'u meddyliau ag arsenig ei llais main. "Bydde dy dad mor falch i weld cymaint o bobl 'ma!" ebychodd, gan droi ei thentaclau i gornel y neuadd, lle'r oedd 'na ryw brifardd neu'i gilydd – un o'r locustiaid ymfudol, *y locusta migratoria* – yn aros amdani.

Roedd hwn yn rhy hunanbwysig i gymysgu ag unrhyw un arall, ac fe fyddai'n aros i bawb fynd i siarad ag e, gan esgus straffaglu gyda botymau ei wasgod yn y cyfamser, dim ond i gael rhywbeth i'w wneud. Rhonwen Rhun oedd y locust perffaith i achub y fath greadur, ac i ffwrdd â hi, gan adael pwll disglair o lysnafedd lle y bu'n sefyll. Gwyliodd Esyllt y ddau yn rhyw hanner cofleidio heb gyffwrdd gormod yn ei gilydd (doedd locustiaid ddim yn hoffi gormod o gyfathrach wyneb yn wyneb), eu cymalau esgyrnog yn plethu am ei gilydd fel brigau.

Fydde fy nhad ddim yn falch o'ch gweld chi yma, i ddweud y gwir, oedd yr hyn y dylai Esyllt fod wedi ei ddweud wrthi.

Doedd gan ei thad ddim mwy o amynedd â'r locustiaid nag oedd ganddi hi – dim ond ei fod, trwy ei waith, yn gorfod ymwneud â nhw. Nhw oedd ei bwnc, mewn gwirionedd; hebddyn nhw doedd 'na ddim celfyddyd. "Ymennydd bychan sydd gan locust," arferai ei thad ei ddweud.

Dal i dyrru i mewn roedden nhw, yn ymwthio yn erbyn ei gilydd, rhai wedi dod â'u gwahoddiadau yn sownd yn eu tentaclau, fel petaent yn ofni na chaent fynediad hebddynt. Gwenu'n neis-neis arni hi y gwnâi'r rhan fwyaf – wedi'r cyfan, roedd hi'n ferch i'w thad, ac roedden nhw'n parchu'r hyn yr oedd *e* wedi'i wneud, hyd yn oed os nad oedden nhw'n parchu ei gwaith hi. Ond *roedden* nhw'n parchu ei gwaith hi, heb yn wybod iddyn nhw, meddyliodd. Gwelodd un locust yn gwenu arni'n betrus. "Ym, pwy ydych chi?" gofynnodd, ei eiriau yn ei serio yn y fan a'r lle. Roedd dirmyg pur yn ei sofrenni blewog. *Pwy ddiawl ydych chi i ofyn pwy ydw i?* roedd arni eisiau bloeddio yn ôl. Ond gochelodd rhag gwneud, gan gofio geiriau doeth ei thad: "Rhaid i ti wenu ar locust. Gwell iddo fod yn hollol anymwybodol o dy ddirmyg di ac yna gyda thi fydd y pŵer." "O, ma'n ddrwg gen i," atebodd. "Esyllt dwi, merch Ifor. Egin-arlunydd, er, dwi ddim yn hawlio bod cystal â 'nhad wrth gwrs!" Estynnodd ei llaw, er iddi ragweld y byddai hafflau rwberaidd y creadur hwn yn gwneud iddi wingo. Roedd ei flewiach mân yn sarhad ar ei chroen. Un o'r locustiaid brown, disylwedd oedd hwn, rhyw ddarlithydd neu'i gilydd mewn Adran Ddiwinyddiaeth yn rhywle. Y *locustana pardalina.*

"Darlun gwych yw hwn, ynte?" meddai, gan droi i edmygu'r darlun o'i flaen. "Yn llawn angerdd, fel petai e'n gwybod nad oedd ganddo lawer o amser ar ôl. Mae popeth, o drwch y paent, y lliwiau, ac onglau'r golau, yn hollol, hollol bwrpasol, fedrwch chi ei weld e. Gwych o beth yw bod ei waith yn dal i fodoli, ac na wnawn ni fyth anghofio amdano. Mae ei fwriadau'n siarad â ni o hyd. A pheidiwch â bod yn rhy galed arnoch chi'ch hun – does neb yn disgwyl, wedi'r cyfan, i chi efelychu eich tad, roedd e'n athrylith pur. Mae'n anorfod ei bod hi'n anos fyth ar y genhedlaeth nesaf i gyrraedd yr uchelfannau. Amhosib, efallai."

Ymdrechodd Esyllt i wenu ei gwên lygoden orau arno, gan droi i edrych ar y llun. Cofiodd bob un ystum, bob un chwarddiad a fu'n gyfrifol am greu'r llun hwn, am mai hi a'i paentiodd, nid ei thad. Tu 'nôl iddi oedd ei thad ar y pryd, yn sipian gwin ac yn pesychu rhwng drachtiau. Gwenodd wrth gofio'r olygfa. Smonach o liwiau ym mhob man. "Paid â meddwl beth rwyt ti'n 'i wneud," meddai ei thad wrthi. "Crea lun sydd heb fwriad, heb angerdd, heb ddim! Po leiaf sydd ynddo, gorau i gyd yn 'u barn nhw fydd hynny!"

Roedden nhw wedi trio arbrawf yn ddiweddar, hi a'i thad, i dwyllo'r locustiaid. Roedd e wedi paentio cyfres o luniau dan ei henw hi ac roedd hithau wedi gweithio ar ddarluniau iddo yntau, ac un o'r rheiny oedd yr union ddarlun yr oedd y locust hwn yn ei edmygu nawr. Derbyniad llugoer gafodd y darluniau o dan ei henw hi (sef gwaith ei thad, go iawn) yn y wasg a'r cyfryngau, gyda phawb yn cytuno mai prentis wrth ei gwaith oedd yma, yn hytrach nag artist go iawn. Argymhellwyd y dylai paentiadau ei thad, fodd bynnag (ei phaentiadau hi, y rheiny a greodd mewn eiliad ffôl o wylltineb, o gynddaredd), gael eu henwebu ar gyfer Medal Aur am gyfraniad oes i gelf gain yng Nghymru. Dim ond un sylwebydd oedd wedi mentro dweud nad oedd hi'n siŵr faint o wirionedd artistig oedd yng ngwaith newydd Ifor Nathan, a'i fod yn ymddangos braidd fel gwaith difeddwl iddi hi. Ynghanol ei llith, roedd y cyflwynydd (a oedd, mae'n siŵr, yn derbyn cyfarwyddiadau yn ei chlust i roi stop ar y fath onestrwydd) wedi dargyfeirio'r sgwrs, gan droi i holi un o'r locustiaid go iawn ar y panel (oherwydd mae'n amlwg nad locust oedd y sylwebydd negyddol, neu efallai ei bod hi'n un o'r rhywogaethau estron, fel yr *oedaleus senegalensis*), ac fe aeth y drafodaeth rhagddi yn llyfn, heb feirniadaeth, gyda statws Ifor Nathan fel athrylith mwyaf Cymru, achubwr diwylliant – yn wir, *yr agosaf sydd gennym at fab Duw yng Nghymru*, dywedodd un – yn cael ei atgyfnerthu fesul sill, fesul ystum, fesul locust.

Daeth atgof sydyn iddi sut roedd ei thad a hithau wedi rowlio chwerthin ar y soffa'r noson honno ar ddiwedd y rhaglen drafod hon, wrth weld ei darluniau hi'n fflachio eto ac eto ar y sgrin. Sbloets annisgybledig yn ei thyb hi a'i thad, dim byd llai na hunllefau celfyddydol. Ond campweithiau, wrth gwrs, i'r locustiaid.

Chwarddiad unigryw oedd gan ei thad, yn teithio'n glwstwr o nodau i fyny ac i lawr yr aer. Ond teimlai Esyllt ryw hen ddiflastod yn cronni ynddi nawr wrth feddwl am y chwarddiad hwnnw – am nad oedd e bellach yma i rannu'r jôc gyda hi. Fedrech chi ddim chwerthin ar y locustiaid ar eich pen eich hun, roedd hi'n amhosib. Eisiau eu lladd nhw oeddech chi. Wrth i'r *locustana pardalina* hercian i ffwrdd, dychmygodd Esyllt mor foddhaus fyddai rhwygo un o'i goesau main i ffwrdd, a'i fwyta o'i flaen, y saim yn diferu o'i genau.

Trigolyn unig yn y byd hwn oedd hi yn awr, y byd yr oedd hi a'i thad wedi'i fedyddio'n *Llanlocust,* heb syniad sut i weithredu nesaf. Pe bai hi'n parhau i baentio yn yr un arddull a greodd gymaint o gynnwrf, diau y byddai rhywrai'n dweud ei bod hi'n ymdrechu'n rhy galed i adleisio campweithiau ei thad. Pe bai hi wir yn efelychu lluniau ei thad, yna byddai pawb yn taeru ei bod hi wedi methu datblygu ar ei hymdrechion pitw blaenorol. Fe fyddai hi'n fethiant, ar bob lefel, cyn dechrau. Doedd 'na unman iddi fynd, a bywyd yn ymestyn allan o'i blaen yn un frwydr hir, anobeithiol yn erbyn y locustiaid. Cyngor o fath gwahanol oedd gan ei thad iddi, wrth gwrs. "Gei di ddweud wrthyn nhw i gyd pan fydda i wedi mynd, os wyt ti am," oedd un o'r pethau olaf a ddywedodd ei thad wrthi ar ei wely angau, a'i anadl yn fyr, ei law grychiog yn ei llaw hithau. "Trefna rhyw noswaith fawr er cof amdana i, ac wedyn rho syrpréis eu bywydau iddyn nhw, mai dy luniau di oedden nhw'n eu hoffi, wedi'r cyfan."

"Ond Tada, *nid* fy lluniau i maen nhw'n eu hoffi. Dydyn nhw ddim yn gwybod beth y maen nhw'n ei hoffi. Maen nhw'n gweld y person, ac yna'n penderfynu beth yw eu barn nhw. Dim ots beth fydde'r gwaith, fe fydden nhw'n dal i hawlio eu bod nhw'n gampweithiau, am mai eich gwaith *chi* yw e."

Difaru dweud hynny roedd hi nawr, am mai dyna oedd y geiriau olaf iddi yngan wrth ei thad cyn iddo farw. Meddwl gwneud iddo chwerthin oedd hi, ond wrth i'r wên ddechrau lledu ar hyd ei wyneb dechreuodd besychu, ac yna tagu, a chyn iddi wybod beth oedd wedi digwydd roedd ei sylw joclyd olaf am y locustiaid – y math o sylw a glywsai gan ei thad ganwaith o'r blaen – wedi dwyn ei anadl olaf oddi arno. Gallasai fod wedi sôn am bethau eraill – pa mor ddiolchgar oedd hi am iddo ei magu ar ei ben ei hun fel y gwnaeth, ac iddo ei hannog i ddilyn ei thrywydd creadigol ei hun. Ond yn hytrach roedd hi wedi mynnu sôn unwaith eto amdanyn *nhw*. A dyna oedd yn ei chwerwi fwy-fyth nawr wrth edrych o'i chwmpas. Ganllath oddi wrthi, roedd 'na griw bach o locustiaid coch, sef pwysigion rhyw ysgol gelf yn y ddinas – *y nomadracis septemfasciata* – yn chwerthin yn uchel yng nghornel y neuadd wrth stwffio cnau i'w genau, a'r gwastraff yn briwsioni ar hyd y llawr. Wrth graffu'n fanylach, sylwodd Esyllt yn sydyn ar bentyrrau bach o lanast ym mhob man, staeniau gwin coch ar y llawr leino gwyn, bagiau te gwlyb yn oeri ar y byrddau, creisionyn wedi'i falu'n batrwm oren ar un o'r seddi, hances boced lwydaidd yr olwg yn crebachu mewn cornel. Prin hanner awr oedd y lle wedi bod ar agor – ac yn barod, roedd y locustiaid wedi llwyddo i lygru'r gofod y bu rhywrai wrthi'n ei sgwrio'n lân ers oriau. Dyna fydden nhw'n parhau i'w wneud iddi hithau, hefyd, roedd hi'n gwybod hynny. Taflu eu budreddi at ei gwaith nes iddi dderbyn ei fod mor ddiwerth ag roedden nhw'n ei awgrymu.

Sleifio allan, dyna fyddai'r peth gorau iddi ei wneud ar noson fel hon. Gadael i aer cynnes mis Mai ei chofleidio, dianc i'r harbwr a'i lanfa, a theithio'n bell, bell oddi wrth awyrgylch llethol y neuadd hon. Ac yfory, mynd ymhellach eto. Mynd i wlad arall, ie, dyna ddylai hi ei wneud. Lle gallai ei gwaith gael ei dderbyn ar ei delerau ei hun, nid ar delerau cyfyng criw o bryfed annifyr. Dy'n nhw ddim yn gadael i bryfed deyrnasu mewn gwledydd eraill, meddyliodd yn chwerw. Roedd y neuadd yn berwi o bryfed yn awr, eu trydar yn annioddefol ar y glust. Ambell un yn dringo'r waliau er mwyn hawlio rhagor o dir. Locustiaid y pla oedd y rhain, *chortoicetes terminifera*, y math mwyaf peryglus, a fyddai'n gwylio ac yn gwrando ar bob dim, er mwyn adrodd y sylwadau yn ôl i eraill wedyn. *Glywes i hwn, llall ac arall yn dweud hyn a hyn a hyn a hyn*, a'r stori'n cael ei hymestyn a'i thrawsnewid ar ei thaith trwy dwnnel eu clustiau amherffaith ac allan trwy eu cegau bach barus.

Ond er yr ysfa i adael, fedrai hi ddim – ddim eto. Roedd hi wedi addo traddodi araith, yn un peth, yng nghwmni un o'r prif locustiaid. Wedi addo dadorchuddio llun olaf ei thad. Neu, ei llun olaf hi, i fod yn fanwl gywir. Llun a fyddai'n gwneud iddyn nhw dalu sylw am unwaith. Gweld eu hunain fel yr oedden nhw.

Y locust roedd hi'n ei gasáu fwyaf oedd yn mynd i rannu'r dyletswyddau, ac roedd yntau'n hwyr. Doedd hynny ddim yn syndod mawr iddi, wrth gwrs. Roedd Môn Ioan wastad yn hwyr i ddigwyddiadau fel hyn, achos roedd e'n gwybod bod pobl yn fwy tebygol o sylwi arnoch chi os oeddech chi'n hwyr. Locust mynydd oedd Môn Ioan, *melanoplus spretus*, rhywogaeth ddinistriol a oedd i fod wedi darfod yn y bedwaredd ganrif ar bymtheg. Ond roedd un wedi goroesi yn ôl pob golwg. Ac roedd e'n cuddio yma yng Nghymru, wrth gwrs, yr unig wlad a fyddai wedi derbyn y fath rywogaeth heb fynnu ei dileu. Roedd e'n gyn-gyflwynydd rhyw raglen gelf ar deledu ugain mlynedd yn ôl, yn gyn-Faer i'r dre, yn gyn-olygydd y cyfnodolyn celfyddydol pwysicaf. Yn gyn-pob-dim. Ond, yn bresennol, heb fod yn llawer o ddim byd. Y rheiny oedd y rhai i fod yn wyliadwrus ohonynt, chwedl ei thad. "Mae'r rheiny sydd wedi bod â phŵer yn y gorffennol gymaint peryclach na'r rheiny nad oedd ganddyn nhw unrhyw bŵer o gwbl yn y lle cyntaf. Maen nhw'n ceisio teithio 'nôl o hyd at y man anghyraeddadwy hwnnw, ti'n gweld, ac yn hwyr neu'n hwyrach aiff eu hymdrechion yn fwy ac yn fwy gorffwyll. Dyna pam mae'r locust yma mor wenwynig."

Cafodd sawl ffrind iddi brofiad o fod dan lach bigog Môn Ioan. Ei ffrind, Steffan Inca, er enghraifft, a ddioddefodd waetha. Artist llawer rhy wylaidd er ei les ei hun. Wedi ei arddangosfa gyntaf oll, a oedd yn gyfres o ddarluniau siarcol cwbl drawiadol, a'i destunau'n ymestyn o'r traddodiadol i'r abswrd, dywedodd Môn Ioan fod yma waith "naïf, ansoffistigedig, ac y dylai'r artist hwn wneud ffafr â'r wlad trwy roi ei bensil yn y to, neu'n well byth, i fyny'i din, oblegid mae'n amlwg mai'r fan honno y cafodd ei hogi". Bu bron i Esyllt gyfogi'i chreision ŷd dros y radio wedi iddi glywed ei lith. Ymestynnodd yn syth am ei ffôn bach i ffonio Steffan. Ond nid atebodd. O fewn tridiau roedd stiwdio Steffan yn wag, ac roedd wedi symud i Lundain. Ond roedd 'na eraill, mwy gwydn nag ef, a oedd wedi anwybyddu sylwadau'r locust pedantig. Cyd-artist arall iddi, Lisi Efa. Pan alwodd Môn Ioan ei harddangosfa arbrofol o eirch amryliw yn "gybolfa lobscowsaidd egotistaidd heb synnwyr na chreadigrwydd", darluniodd Lisi Efa lun enfawr o Môn Ioan yn noethlymun gorcyn a'i anfon at bob cyhoeddiad yng Nghymru. Ond cafodd hynny ymateb yn groes i'r disgwyl – aeth si ar led wedyn fod Lisi Efa a Môn Ioan yn gariadon, a gwnaeth hynny les aruthrol i ddelwedd gyhoeddus Môn Ioan, gan fod Lisi Efa yn hogan brydferth dros ben ac yntau bellach dair stôn dros ei bwysau, a'i wyneb fel balŵn ar fin ffrwydro. Ond wedyn, doedd Lisi Efa ddim yn ffrind i Esyllt, chwaith. I ddweud y gwir, roedd hi wedi dechrau troi'n dipyn o locust ei hun erbyn hyn – yn sarhau gwaith artistiaid iau pan fyddai hi'n synhwyro eu bod nhw yn gwneud rhywbeth mwy radical na hi. Fe fyddai rhywun fel Lisi Efa yn arfer bod mor anghyfforddus ag Esyllt mewn cwmni o'r fath ond dyna lle'r oedd hi nawr, yng nghornel y neuadd, yn sglaffio cnau gyda'r gorau ohonyn nhw, yn barod i gyfathrachu ag unrhyw locust a fyddai'n canmol ei gwaith.

A hithau bellach yn bum munud ar hugain i wyth, penderfynodd Esyllt ei bod hi'n amser dechrau ar ei hanerchiad. Câi Môn Ioan ddweud beth a fynnai unwaith yr oedd hi wedi gadael, ond doedd hi ddim am wastraffu eiliad syrffedus arall yn aros amdano. Gwthiodd ei ffordd i du blaen y neuadd, gan faglu trwy fyrdd o locustiaid. Roedd y minlliw, y teis patrymog, y breichledau aur, y sgarffiau sidan, oll wedi dechrau datgymalu erbyn hyn, ac roedd modd gweld yr hagrwch locustaidd pur trwy'r cyfan. Gwyddai Esyllt yn iawn mor denau oedd yr arwyneb, a pha mor dywyll ac anserchog oedd y gwirionedd plaen – pa mor hyll oedd locust pan fyddech chi'n ei ddal yn agos atoch. O'i chwmpas ym mhob man roedd hi'n arogli eu drewdod, yn synhwyro'r craciau ym modiau eu traed, gwythiennau cnotiog eu coesau, a chilfachau blewog eu ceseiliau. A phob un yn syllu ar ei fogel ei hun, yn hollol anymwybodol ohoni hithau'n gwthio heibio, yn bersawrus, yn lân, yn driw iddi hi ei hun. Ymhen yr awr, mae'n siŵr na fyddai 'na nodweddion dynol ar ôl yn unman, dim ond coesau hirion a llwyth o adenydd hagr yn llenwi'r lle – a'r neuadd hon yn araf droi'n gell wenwynig, lle y byddai pethau'n pydru a marw. Roedd yn rhaid iddi gyrraedd y llwyfan, meddyliodd Esyllt, wrth weld yr arwyneb pren nad oedd eto wedi cael ei gyffwrdd gan un o'r locustiaid, yn sgleinio arni, yn llawn addewid. Rhaid oedd codi uwchlaw hyn, er mwyn ei thad. A doedd hi ddim yn poeni mwyach am wenu'n neis arnyn nhw, am gadw ei grym. Wrth weld y darlun newydd, fe fydden nhw'n sylweddoli ei bod hi a'i thad wedi bod yn cellwair ers misoedd – fe fyddai'n rhaid iddyn nhw gydnabod eu twpdra eu hunain. Ysai am weld y llygaid bach digyfeiriad yna'n ffocysu am unwaith, y coesau anwadal yn ymsythu.

"Esgusodwch fi, os ga i'ch sylw chi am eiliad..." meddai'n betrus, gan bwyso i mewn i'r meicroffon. Atseiniodd ei llais yn ôl i wagle'r llwyfan. Er bod ambell locust wedi dechrau edrych i'w chyfeiriad, ni ddistawodd neb. Dim ond hi oedd ar y llwyfan, wedi'r cyfan. Rhaid eu bod nhw'n meddwl mai sicrhau bod y meic yn gweithio roedd hi. Fyddai neb yn ei iawn bwyll yn gofyn i Esyllt Nathan agor y noson, heb bwysigyn i'w weld ar y llwyfan gyda hi.

"Esgusodwch fi... os ga i'ch sylw chi... gwrandwch arna i!" meddai Esyllt, yn uwch y tro hwn, gyda thinc o ddicter yn ei llais. Tawodd y rhai agosaf ati, ac edrych arni mewn syndod. Ond dechreuodd y rheiny wedyn sibrwd ymysg ei gilydd, nes creu rhyw gorws hunllefus a oedd, sibrydiad wrth sibrydiad, yn tyfu'n uwch ac yn uwch ac yn uwch, nes boddi unrhyw ymdrechion ganddi i ailgydio yn eu sylw.

"Y peth yw... mae'n rhaid... ym, os ga i'ch sylw chi am eiliad..."

Llyncwyd ei geiriau gan dafodau main y locustiaid. Pob un gair ffrwythlon, maethlon yn cael ei fwyta, ei gnoi, a'i boeri ar lawr nes ei fod yn gwbl ddiffrwyth. Aeth clwstwr bach ohonyn nhw ati i ymladd dros y gweddillion. O'i chwmpas bob man roedd sgerbydau diwerth ei geiriau.

Ond yna, yn union fel y rhagwelsai Esyllt, fe sgubodd Môn Ioan i mewn, yn dwrw i gyd.

"Wel, helô!" meddai'n smala wrth hwn, llall ac arall. "Ia, ia! Braf eich gweld chi! Su mae erstalwm?" Trodd pawb eu golygon oddi wrthi hi i edrych arno ef yn gwau ei ffordd trwy'r neuadd. Y locustiaid mwyaf salw fyddai'n hawlio sylw fel arfer. Os oeddech chi'n rhy hardd, roeddech chi'n anweledig iddyn nhw.

Cyn iddi gael amser i ddweud gair arall roedd Môn Ioan wrth ei hymyl, wedi gwthio ei fol i'r gofod rhyngddi hi a'r meicroffon, nes bu'n rhaid iddi gamu'n ôl, rhag cael ei sathru gan ei floneg. Roedd Môn Ioan wedi tyfu'n dew ar fwyta cnydau pobl eraill dros y blynyddoedd, eu stwffio i'w grombil ef ei hun heb hidio am ddwyn cyfoeth oddi ar eraill. Dyna pam ei bod hi'n amlwg mai perthyn i rywogaeth arall o locustiaid yr oedd. Dim ond hyn a hyn o ddinistrio a sglaffio y gallai'r locust arferol ei wneud heb orfod stopio rhag gwneud ei hun yn sâl. Ond llwyddai Môn Ioan i ddal ati, am fod ei fol hyblyg yn gallu ymestyn am fodfeddi lawer.

"Rŵan ta, gyfeillion," meddai Môn Ioan. "Diolch yn fawr i Esyllt fan hyn am drefnu'r noson yma i ni heno. Dangoswch eich gwerthfawrogiad iddi."

Cafwyd cymeradwyaeth ddistaw, bitw, gan fod nifer o'r locustiaid yn dal plât papur mewn un llaw a gwydryn o win yn y llaw arall. Hyn a hyn o sŵn a wnaiff papur wrth daro'n erbyn gwydryn plastig.

"'Da ni yma, fel y gwyddoch, i dalu teyrnged i un o'r artistiaid gorau a welodd ein gwlad fechan ni erioed; Ifor Nathan. Yn anffodus, bu farw Ifor cyn iddo gyrraedd ei lawn botensial fel artist, ond roedd o'n meddwl digon ohonon ni – ei gynulleidfa – i adael i ni fwynhau arddangosfa o'i waith diweddar, ac yn fwy na hynny, i roi'r hawl i ni ddadorchuddio llun newydd sbon wedi'i farwolaeth. Dyna i chi rodd, ynte? Iddo feddwl amdanon ni, hyd yn oed ar ei wely angau."

Doedd ei thad ddim wedi dweud y ffasiwn beth, wrth gwrs. Ei darlun hi oedd yn llechu'n ddistaw y tu ôl i'r llen, yn disgwyl ei gyfle.

"A dwi am ofyn i Esyllt fan hyn i ddadorchuddio'r llun, er cof am ei thad. Mae Esyllt, fel y gwyddoch, yn gyw-arlunydd ei hun, a rhyw ddydd 'da ni'n gobeithio y bydd hi'n dilyn ôl troed ei thad. Er nad oes disgwyl iddi..." meddai Môn Ioan, gan wenu arni, a'i gasineb tuag ati'n glynu'n gudd rhwng ei ddannedd, ynghyd ag olion brechdan gaws yr oedd wedi'i bachu ar y ffordd i mewn i'r neuadd.

"Esyllt, os fuasach chi cystal â..."

Tynnodd Esyllt y cordyn, a chaeodd ei llygaid. Roedd hi'n cofio pob ystum a aeth i mewn i greu'r darlun hwn; hwn, yn ddi-os, oedd ei darlun mwyaf caboledig. Doedd 'na ddim byd tebyg i greu celfyddyd mewn dicter. Dicter fu'n bwydo ei hangerdd, dicter at y locustiaid; ysfa am iddyn nhw weld eu hunain fel yr oedden nhw go iawn. Synhwyrodd y neuadd yn tewi. Pobl yn gollwng eu platiau papur mewn syndod. Dyma ni, meddyliodd. Unwaith y bydden nhw'n dechrau arthio am yr hyn a welen nhw o'u blaenau fe fyddai hi'n datgelu'r cyfan. Yn datgelu nad oedd yr artist wedi marw, wedi'r cyfan, ond ei bod hi – ie, *hi*, meddyliwch! – yma o'u blaenau. *Myfi yw'r gelyn. Dwi'n barod amdanoch chi.*

Roedd y llun, wedi'r cyfan, fel drych. Locustiaid mewn digwyddiad oedd yma, a'r rheiny'n fwystfilaidd eu gwedd. Roedd dau yn ymhél â'i gilydd yn y modd mwyaf ffiaidd, a chlwstwr arall ohonynt yn dodwy wyau tywyll dros lyfr gwyn a oedd yn dwyn y teitl 'Diwylliant'. Bwyta'i gilydd oedd y locustiaid yng nghornel y llun, a rhywrai eraill yn sathru ar dentaclau ei gilydd. Roedd un locust benywaidd wedi bwyta cymaint o dudalennau nes ei bod yn eu cyfogi, a honno'n gwisgo sgert nad oedd yn annhebyg i'r un a wisgai Rhonwen Rhun yn awr. Ar waelod hyn oll, roedd map o Gymru, a hwnnw'n llawn staeniau budr o olion eu traed, a darnau o'r wlad wedi dechrau arnofio i ffwrdd ar wyneb y dŵr.

Edrychodd Esyllt drachefn ar y gynulleidfa – a gweld bod eu llygaid yn llydan agored a'u genau'n ogofâu bach o syndod. Teimlodd eiliad fer, fer o foddhad iddi lwyddo i gael ymateb o'r diwedd, ei bod wedi'u tanio; nes i lais Môn Ioan darfu ar y tawelwch, a chwalu'i delfrydau'n yfflon.

"Dim ond Ifor Nathan fydda wedi gallu creu darlun fel hyn," meddai, ei lais cras yn atsain dros bob man. "Mae'n weledigaeth athrylithgar, a'i grefft gyda'r paent olew yn syfrdanol. Yn fwy na hynny, mae'r hyn y mae o'n ei ddangos i ni – sef bod pla o locustiaid gwenwynig yn dinistrio ein cymdeithas ni, yn ddelwedd mor bwerus o'r modd y coloneiddiwyd ni gan Loegr, mae'n wirioneddol drawiadol. Os nad y llun neo-drefedigaethol cyntaf o'i fath yng Nghymru, ddwedwn i. Llun protest, yn llawn clyfrwch."

Dechreuodd y gynulleidfa fwmial ymysg ei gilydd, gan gydsynio ac ymagweddu'n gadarnhaol. Yna'n sydyn o grombil yr adeilad daeth cymeradwyaeth, a'r crafangau main yn esgyn i'r awyr. Cododd sawl locust oddi ar y ddaear mewn gorfoledd llwyr, gyda rhai yn hofran uwchben y llwyfan i graffu'n fanylach ar y llun. "Welith y locust fyth mo'i hunan," dyna oedd tad Esyllt wedi'i ddweud wrthi. "Fedri di ddim agor eu llygaid nhw, maen nhw'n parhau'n ddi-lygad ar hyd eu hoes." Ond roedd hi wedi credu, am ennyd, fod y fath beth yn bosib.

Erbyn i Môn Ioan orffen ei lith am waith ei thad, roedd yr awyr tu allan wedi tywyllu. Dygwyd yr haul oddi arni gan y locustiaid, meddyliodd Esyllt, gan ildio i'w dagrau; ni fyddai hwyl i'w haf eleni, heb ei thad, heb neb i gymryd ei gwaith o ddifri. Mor ddigyfeiriad fyddai ei bywyd bellach. Roedd y dagrau'n rhaeadru i lawr ei gruddiau, gan ddwyn ei holl nerth, ei holl bŵer i ffug-wenu, oddi wrthi. Ond ni sylwodd neb. Roedd 'na ferch ar y llwyfan yn crio, yn igian crio, ac roedd y locustiaid yn rhy brysur i dalu sylw iddi gan eu bod yn ceisio denu sylw Môn Ioan wrth iddo gamu i lawr o'r llwyfan. Camodd hi trwy'r dorf, a thrwy fwrllwch ei dagrau ni welai 'mond y gwyrddni hagr hwnnw a gysylltai rhywun â locust. Doedd neb yn esgus, rhagor; roedden nhw oll wedi ildio i'w nodweddion cyntefig.

Aeth i lawr y grisiau a dianc allan i'r tywyllwch. Llyncwyd hi gan yr aer trwchus. Camodd oddi wrth yr adeilad, wysg ei chefn. Roedd y meini'n rhai hardd, yn goleuo'n firain yn erbyn cefnlen y nos, y ffenestri mawrion yn datgelu'n glir yr hyn oedd yn digwydd y tu mewn. Po bellaf yr âi hi oddi wrthyn nhw, y mwyaf yr ymdebygai'r rhialtwch, y miri a'r sbloets i fod yn rhywbeth i'w fwynhau, rhywbeth yn llawn bywyd. Po leiaf yr âi'r pennau bach, y mwyaf dynol roedden nhw'n ymddangos, yr adenydd a'r tentaclau yn araf ddiflannu, gan ymddangos unwaith yn rhagor fel dillad lliwgar a phenwisgoedd moethus. Pasiodd ambell un hi ar y stryd gan wenu'n drist arni. Gwyddai ei bod hi'n edrych fel rhywun a oedd yn hiraethu am gael mynd i mewn, yn hytrach na rhywun a oedd newydd ddianc oddi yno.

Ond er iddi geisio troi ei chefn a symud ymlaen, fedrai hi ddim. Teimlai rhyw gryndod rhyfedd yn ei chorff, rhyw anystwythder ym mêr ei chymalau. Edrychodd i lawr. Roedd ei choesau wedi dechrau teneuo yn y fan a'r lle, roedden nhw'n dechrau gwyro i gyfeiriadau annaturiol. Ei chluniau brown siapus yn dechrau troi'n frigau gwyrdd, hyll. *Rwyt ti'n hanner locust dy hun*, meddyliodd Esyllt. *Ti wedi bod yn eu cwmni nhw'n rhy hir.* Dyna fyddai ei thad wedi'i gredu hefyd. "Mae gen ti'r pŵer i ymdoddi, i ymddangos yn fwy o locust nag wyt ti." Doedd dim modd iddi adael. Ei pharti hi oedd i mewn yn fan'na, a phe bai hi'n cerdded i ffwrdd nawr, yna fe fydden nhw'n parhau i gymryd pob dim, i ddinistrio popeth. Dyma oedden nhw am iddi ei wneud, wedi'r cyfan, sleifio o'r parti. Er mwyn iddyn nhw gael teyrnasu. Fel na fyddai neb ar y ddaear yn eu herio nhw.

Rhaid oedd mynd yn ôl. Ond nid fel hi ei hun. Nid fel Esyllt.

Teimlodd gynnwrf rhyfedd yn ei breichiau a'i hysgwyddau. O fewn eiliadau roedd ei thrawsnewidiad yn gyflawn.

Locustana dissimulo. Locust mewn mwgwd.

Dechreuodd ar ei thaith yn ôl, gan hanner hercian, hanner hedfan tuag at Neuadd y Sir, a'i chalon werdd yn curo'n uchel. Roedd yn rhaid iddi graffu i weld y drws, gan nad oedd modd gweld dim yn iawn trwy'r llygaid blewog yma. Lle'r oedd hi'n mynd? Roedd y byd o'i blaen wedi newid yn sydyn. Dyna, wedi'r cyfan, oedd baich y cyflwr locustaidd 'ma. Methu gweld yn iawn. Rhyfeddodau'r byd i gyd wedi eu cysgodi dan ryw niwlen, fel nad oedd modd gweld y manion bychain a oedd yn gwneud bywyd yn rhyfeddod. Roedd terfynau'r byd yn gyfyng, a dim ond y pethau amlwg i'w gweld o'ch blaen. Ceisiodd ymestyn am fwlyn y drws, ond doedd dim yn tycio. Gyda'i chrafanc locustaidd, nid oedd modd cael digon o afael i wthio ei hun i mewn. Ond yna sylweddolodd nad ei bai hi oedd e. Yn ei habsenoldeb roedden nhw wedi cloi'r drws. Wedi ei chloi allan o'i pharti hi ei hun.

Gwelodd uwch ei phen fod un o'r ffenestri ar agor. A oedd hi'n ddigon main, tybed, i hedfan i mewn? Doedd dim i'w golli. Herciodd at ochr yr adeilad, gan synnu mor hawdd y glynai ei chorff wrth y muriau. Ymbalfalodd ar hyd sil y ffenest ac yna neidiodd. Ond unwaith eto roedd ei llygaid wedi camfarnu faint o le oedd yno mewn gwirionedd. Tarodd ei thalcen yn erbyn y gwydr a syrthiodd yn ôl ar y silff oddi tano. Ceisiodd unwaith eto, a tharo'i thalcen drachefn, gan greu clec go hegar ar y gwydr. Erbyn hyn ymddangosai golau'r neuadd yn annioddefol o atyniadol, ac roedd arni eisiau mynediad yn fwy na dim yn y byd. Ond roedd ei phen yn troi, ac yn dechrau teimlo'n feddal, fel ei phen ei hun, nid fel pen locust.

A thrwy ei llygaid cul, gwelodd fod degau o amrannau bach blewog wedi troi i'w hwynebu, gan syllu ar y ffenomenon rhyfedd hwn o locust nad oedd yn gwybod sut i ymddwyn yn gyhoeddus, yn taro'i hunan dro ar ôl tro yn erbyn y gwydr, cyn ildio drachefn i'r nos.

Merano

AR GORNEL Y Via S. Leonardo, rhyfeddodd Twm mor hawdd oedd hi i gariad fynd yn angof. Nid yn unig cariad, chwaith, ond amser, normalrwydd, defod – pob dim a wnâi i'w fyd arferol droi yn ei gylchoedd llwyd, diflas. Dyma lle'r oedd e, dyn bach di-nod o Abertawe – ar fore Mercher – yn nhref Merano ar ei ben ei hun, wedi dianc o'i realiti dyddiol o'r diwedd. Petai wedi bod yn Firenze, yn Roma, yn Napoli, neu Verona – y ddinas lle'r oedd e wedi disgwyl ffeindio'i hun – fe fyddai wedi teimlo'n gyffredin ddigon. Ond roedd Merano'n wahanol. Tref ar y ffin oedd hi, a mynyddoedd yr Alpau'n syllu i lawr arni, yn taflu eu cysgodion golau dros bob twll a chornel. Roedd yr adeiladau cochlyd fel petaent wedi nythu yng nghesail wen y mynyddoedd, a'r strydoedd cul, caregog yn llawn pobl ryfedd yr olwg a greai ryw symffonïau amherffaith wrth sibrwd ymysg ei gilydd; yr Eidaleg a'r Almaeneg yn creu rhythmau anwastad a adleisiai yn yr aer. Teimlai Twm fod gweddill y byd wedi peidio â bod, a'i ffawd bellach yn perthyn i'r dref hon, lle roedd pobl yn hapus i fyw mewn stad wastadol o fod rhwng pethau, rhwng y naill beth a'r llall. Rhwng Awstria a'r Eidal. Rhwng mynydd a thre. Rhwng bod a pheidio â bod.

Mer-a-no. Meran i'r Almaenwr. Mwythodd yr enwau rhwng llymeitiau o win. Dridiau'n ôl fe fyddai'r enw wedi bod yn gwbl anghyfarwydd iddo. 'Mond un ar ddeg o'r gloch oedd hi – llawer rhy gynnar iddo fod yn yfed, ond ers iddo archebu glasied o win yn ddamweiniol ar ei fore cyntaf yn y dre (ceisio archebu ei frecwast ydoedd mewn Eidaleg amherffaith, a glaniodd gwydryn o win o'i flaen) roedd wedi adeiladu awch boreol am yr hylif melys hwn. Gwin lleol ydoedd – un coch golau, nid fel y gwinoedd coch tywyll, trymion yr arferai eu hyfed ar ei nosweithiau allan yn Abertawe, gan sawru'r trymder ar ei dafod, a cheisio esgus ei fod yn rhyw fath o arbenigwr ar winoedd cyfandirol. Fel arfer, fe fyddai wedi troi ei drwyn ar unrhyw beth o'r lliw hwn. Ond dyma lle'r oedd e nawr, yn yfed y *Meranese di collina*, a oedd yn llusern o waed ifanc yn ei law, yn ei adfywio, yn lleddfu ei gryndod. Erbyn amser cinio hyderai y byddai 'na rhyw des hufennaidd wedi syrthio dros bob dim, ac na fyddai'n rhaid iddo feddwl yn ormodol am yr hyn yr oedd wedi'i wneud, nac am yr hyn yr oedd yn rhaid ei wneud nesaf.

O'i fwrdd y tu allan i'r caffi bychan gallai weld holl fwrlwm haf Merano yn ei anterth. Doedd y lle ddim yn annhebyg i Gymru, mewn rhai ffyrdd, am fod ganddo ddau ddiwylliant a dwy iaith yn ymblethu i'w gilydd. Efallai, wedi'r cyfan, nad mympwy yn unig a'i harweiniodd i'r fan hon, ond ffawd ei hun. Teimlai hynny fwyfwy pan glywsai hefyd ryw iaith arall yn tarfu ar y ddwy iaith honno – Ladin, iaith leiafrifol a oedd ynghudd yng nghorneli'r ddinas. "Roedd fy mam yn siarad Ladin," meddai un gweinydd clên wrtho ryw fore, "ond penderfynodd beidio â'i siarad â mi, gan nad oes llawer o ddyfodol iddi." Gwenodd y ddau yn egwan ar ei gilydd – y naill yn deall y llall i'r dim.

Eisteddai'n ôl yn awr yn gwenu ar y rheiny oedd yn pasio heibio – gan dderbyn gwên lydan oddi wrth yr Eidalwyr a rhyw grechwen amheus oddi wrth yr

Almaenwyr. Ceisiodd adnabod y Ladinwyr yn eu plith, ond roedden nhw'n edrych yn gwmws fel pawb arall, mewn gwirionedd. Tybed ai i Eidalwr, Almaenwr neu Ladinwr yr ymdebygai? Doedd dim angen i neb wybod mai un o ddynion tywyll Cymru oedd e, yn perthyn i lwyth Iberaidd mwy na thebyg, ei wythiennau'n boeth a chymhleth. Cymaint yn well oedd peidio ag edrych fel dieithryn neu fe fyddai rhywun yn siŵr o ofyn iddo, yn hwyr neu'n hwyrach, pam ei fod yno. A beth fyddai e'n ei ddweud? Roedd e'n sylweddoli pa mor hurt oedd y gwirionedd. Ond po fwyaf yr yfai o'r *Meranese*, y mwyaf synhwyrol yr ymddangosai'r cyfan. Onid oedd 'na rywbeth difyr am y stori, rhywbeth arwrol hyd yn oed? Wedi'r cyfan, roedd hi'n cymryd math arbennig o ddewrder i wneud yr hyn roedd ef wedi'i wneud. Naill ai hynny neu fath arbennig o dwpdra.

Methu cysgu oedd e – dyna ddechreuad y peth. Y lleuad wen yn gwasgu'i hwyneb haerllug yn erbyn y ffenest, yn ei wawdio. Ei feddwl yn orlawn o ddigwyddiadau'r misoedd diwethaf, a'r un hen foment annifyr wedi'i dal fel gwyfyn yng ngolau ei feddwl. *Po fwyaf y ceisiwch chi anghofio rhywbeth, cryfaf y daw'r atgof hwnnw'n ôl,* onid dyna oedd y seiciatrydd wedi'i ddweud? Roedd angen rhywbeth arno, prysurdeb, gweithred, i ddianc rhag ei feddyliau ei hun. Er mwyn gallu diffodd y golau bach 'na, a disgyn i dywyllwch esmwyth.

Ac roedd y cyfan wedi digwydd megis breuddwyd effro. Cododd, fel pe bai ganddo bwrpas. Cydiodd yn ei gês. Taflodd yr hyn a allai i mewn ac yna gwthio'r caead i lawr, a cheisio ei gau. Ond wrth i'r sip gyrraedd pen ei daith fe ffrwydrodd ar agor, a diberfeddu ei hun. Wrth edrych yn ôl nawr, gwyddai mai arwydd oedd hyn, arwydd y dylai fynd yn ôl i'w wely, ac anghofio'r cyfan. Gwelai fod y digwyddiad ei hun fel rhyw ragweledïad afiach o'r hyn a allasai ddigwydd i'w feddwl wrth geisio rhoi caead arno. Ond rywsut, aeth yn fwy penderfynol. Aeth i chwilota am gês arall yng nghefn y wardrob, a dod o hyd i'r lleiaf oll. Doedd dim lle ynddo i fwy na rhyw ddau grys, pâr o esgidiau, a'i frws dannedd. Penderfynodd y byddai'n rhaid i hynny wneud y tro, ac allan ag e, allan i'r nos, i'w gar, a'r heol, gan wybod y byddai'r stribedi gwynion o'i flaen yn cynnig rhyw fath o arweiniad iddo.

Gwelai ei hun yn gwneud hyn, ond eto trwy ryw lens ryfedd, bellennig. Ymhen awr roedd ym maes awyr Caerdydd, â'i basport yn ei law, heb syniad i ble'r oedd e'n mynd. Dau ddewis oedd ganddo. Alicante neu Amsterdam. Edrychodd ar y dyrfa o bobl a oedd yn ciwio i deithio i'r ddau fan – yr Alicantiaid yn eu fflip-fflops a'u plant yn sgrechian, yr Amsterdamwyr yn eu siwtiau busnes, eu llygaid ar eu Blackberries, a'u haeliau'n crymu. Difrifoldeb yr oedd arno ei angen ar adeg fel hyn, nid difyrrwch, felly aeth i giwio gyda'r dynion busnes. Wrth nesáu at y ddesg penderfynodd nad oedd Amsterdam yn ddigon pell, wedi'r cyfan. Fe fyddai rhywrai'n gallu dod o hyd iddo yn Amsterdam yn ddigon rhwydd. Roedd bron yn ystrydeb. A dyna pryd y cafodd y syniad. Wrth arogli gwallt y ddynes o'i flaen, roedd e'n gwybod beth y dylai wneud. Camodd yn nes ati. Mor agos nes ei fod bron yn ei chyffwrdd. Gwrandawodd ar bob un gair a ddywedodd hi wrth y stiward.

"Caerdydd–Amsterdam, Amsterdam–Verona," meddai'r stiward wrth edrych ar ei thocyn. Doedd dim arwydd o gynnwrf y dinasoedd hynny yn ei lais. "Iawn. Dyma chi. Nesaf, plis."

Caerdydd, Amsterdam. Amsterdam, Verona. Dyna benderfynodd Twm fyddai ei lwybr ef hefyd.

A nawr, o ganlyniad i'r un penderfyniad gwirion hwnnw, roedd e ym Merano. Weithiau fe ddychmygai ei hun yn adrodd y stori wrth griw o dwristiaid (ac yn ei ddychymyg roedd ei Eidaleg yn llyfn a rhythmig, yn llifo'n gerrynt dros gerrig ei ddannedd) a'r rheiny'n udo chwerthin dros bob man. Weithiau, fe yrrai'r ffantasi gam ymhellach, gan ddychmygu ei hun yn cael ei dderbyn gan drigolion y dref hon fel un ohonyn nhw – fel y storïwr lleol a fyddai'n adrodd yr un hen stori abswrd o sut y glaniodd yma yn y lle cyntaf. Mewn deugain mlynedd dychmygodd y byddai'n eistedd y tu allan i'r un caffi, yn adrodd yr un stori, ond erbyn hynny fe fyddai'n perthyn, meddyliodd, wir yn perthyn i'r bobl hyn ac i'r ardal hon. Efallai y byddai ganddo lynges o wyrion o'i gwmpas i'w amddiffyn. Fe fyddai hanes Twm o Abertawe wedi mynd yn angof. Fe fyddai wedi'i ailfedyddio'n rhywbeth mwy pwrpasol – *Tommaso*, efallai – ac fe fyddai'n gymaint o ddifyrrwch i'r Eidalwyr ag ydoedd yr hen garcharorion rhyfel Eidalaidd i'r Cymry. Onid oedd 'na ddegau ohonyn nhw o gwmpas Abertawe? Wedi glanio yno'n fympwyol, wedi syrthio mewn cariad, wedi codi tai hufen iâ hyd yn oed? Wedi cyfoethogi bywydau'r Cymry. Pam na allai yntau wneud yr un fath?

Dwyt ti ddim yn garcharor, Twm, dywedasai llais yn ei ben. *Dim ond i ti dy hun. A does 'na ddim byd yn arwrol yn dy stori di, beth bynnag rwyt ti'n ei feddwl.* Ac yna'n sydyn cliciodd y golau bach ymlaen eto yn ei ben a gwelodd yr un hen olygfeydd yn fflachio ar sgrin ei gof.

Ond dyna ni. O leiaf yr oedd wedi ceisio gwneud rhywbeth gwahanol. Wedi ceisio diosg ei hen hunaniaeth, a'i gadael yn pydru yng nghornel ei fflat yn Abertawe. Teimlai arswyd wrth ddychmygu ei fflat wag ar yr union foment hon, yn mwmial iddi'i hun, heb sylweddoli iddo ymadael. Gadawodd bopeth ar ei hanner. Stribyn o bast dannedd fel llysnafedd ar ochr y sinc. Golau'r cyntedd yn dal ynghynn, ei ddillad yn chwydu eu bryntni trwy geg y peiriant. Roedd ganddo ryw hanner cof iddo adael brechdan ar ei hanner ar gownter y gegin – brechdan gaws a ham. Fe'i dychmygodd yn crebachu, ddiwrnod wrth ddiwrnod, y mwsog yn ei gorchuddio, yn tyfu'n gantref blewog ar ei phen, a thyrfa fechan o fwydod yn dechrau martsio trwyddo. Sylweddolodd yn sydyn mai ef *oedd* y frechdan yna – dyna pam roedd yn rhaid iddo ddianc oddi yno. Rhag i'r llwydni ei lyncu.

Ond roedd wedi bwriadu mynd yn ôl. Wrth gwrs. Wyddai e ddim bryd hynny y byddai amgylchiadau yn ei ddal yn sownd yn y fan hon, oherwydd un foment absẃrd, annisgwyl yn ei fywyd rhagweladwy arferol. Roedd llosgfynydd wedi ffrwydro yn rhywle; y lluwchfeydd llwydlas wedi esgyn i'r ffurfafen, gan fygwth llwybr pob awyren. Ar yr union adeg pan ddylai fod wedi dod at ei goed, wedi gadael am adre, heb fod neb ddim callach o'r foment hon o wallgofrwydd, roedd ffawd wedi'i ddal yn y fan a'r lle. A nawr, doedd 'na ddim modd iddo gysylltu â neb i ddweud lle'r oedd e. Ceisiodd feddwl am esboniad a fyddai'n swnio'n synhwyrol. Gwyliau sgïo, meddyliodd, gan droi ei olygon tua'r mynyddoedd. Go brin, ar ôl yr hyn oedd wedi digwydd. Trip busnes? Pa fusnes, dyna fyddai pawb yn ei ofyn. Dod yma i brynu crât o *Meranese di collina*? Roedd e'n gallu dychmygu dweud hynny ar y ffôn a'i lais yn esmwyth braf, ond gan wybod yr eiliad y byddai'n rhoi'r ffôn i lawr y byddai'r person yr ochr draw yn rholio ei lygaid, yn troi at bwy bynnag arall oedd yn y stafell ac yn dweud: *Wel, mae e wedi digwydd, mae e wedi'i cholli hi'n llwyr. Mae e yn yr Eidal, medde fe, yn prynu gwin!*

Teimlodd gyffyrddiad ysgafn yn erbyn cefn ei gadair wrth i ddynes ifanc geisio gwasgu heibio iddo. Symudodd ei gadair yn ôl a diolchodd hithau iddo. "Prego," meddai, gan deimlo drachefn fel Eidalwr. Cyfarfu eu llygaid wrth iddo ddrachtio diferion olaf ei *Meranese*, a chwyddodd ei hwyneb tlws yn afluniaidd fawr yn ei wydryn.

Bu bron iddo frathu'r gwydr wrth sylweddoli pwy oedd hi. Hi oedd hi – y rheswm ei fod yma. Gwyddai y byddai siawns y deuai ar ei thraws mewn lle mor fach, ond doedd e ddim wedi disgwyl iddi basio heibio iddo mor agos. Iddo allu arogli ei phersawr unwaith eto a gweld ei hwyneb.

Doedd e ddim wedi'i gweld ers iddo gyrraedd Merano. Wedi iddo wneud y penderfyniad, cadwodd ei bellter ym maes awyr Amsterdam – roedd e'n gwybod, wedi'r cyfan, ei bod hi'n dal yr un awyren ag ef, ac felly doedd dim angen iddo'i dilyn. Wedi iddi ddisgyn oddi ar yr awyren yn Verona roedd wedi cadw'n dynn ar ei sodlau yr holl ffordd i'r fynedfa. Collodd olwg arni fwy nag unwaith ynghanol y torfeydd prysur, ond ymhen hir neu'n hwyrach fe'i hudwyd yn ôl ati trwy ei phersawr, ei gwallt, a'r bag pinc ar ei hysgwydd. Safodd yn ôl wrth ei gweld yn chwilio am rywun. Dynes ganol-oed a ddaeth i'w chyfarfod, ac wedi'r cusanu a'r cofleidio roedd y ddwy wedi neidio i gar mawr du. Fe neidiodd yntau i dacsi a gofyn iddo ddilyn y car o'i flaen, gan deimlo fel dihiryn mewn ffilm, a chan ddisgwyl y byddai hi'n mynd ag ef i ganol Verona. Ond ar ôl hanner awr o deithio sylweddolodd ei fod ar daith tacsi hiraf, a drutaf, ei fywyd. Doedd hi ddim yn mynd yn agos i Verona. Roedd y car mawr du yn ei chludo i rywle arall. I'r fan hon. I Merano. O'r diwedd, fe ddaeth y car mawr du i stop ar y sgwâr, a chamodd hithau a'i chyfeilles allan ohono.

A dyna pryd y sylweddolodd e. Pan drodd y ddynes i wynebu'r tacsi, ac i godi ei chês i fyny, sylweddolodd nad hi oedd y ddynes iddo'i gweld ym maes awyr Caerdydd o gwbl. Nid dyma'r un a fyrddiodd yr awyren gydag ef yn Amsterdam. Rhywsut, roedd e wedi llwyddo i golli honno, gan ddilyn y ddynes anghywir ym maes awyr Verona. Ac fe allai daeru, ar yr union foment honno, ei bod hi wedi edrych i fyw ei lygaid yng nghefn y tacsi ac wedi deall ei fwriadau i'r dim. Dyna pam y dywedodd wrth y gyrrwr tacsi am yrru ymlaen ymhellach, rownd y cornel, fel y gallai sleifio o'r golwg, ac anghofio'r cyfan am ei dilyn. Y lleoliad, wedi'r cyfan, oedd yn bwysig, nid y tywysydd. Rhaid oedd anghofio pam ei fod e yma a dechrau manteisio ar y sefyllfa. Dyna a ddywedodd wrtho ef ei hun drosodd a throsodd wrth i'r papurau Ewro ddiferu o'i ddwylo crynedig i ddwylo'r gyrrwr tacsi, a hwnnw'n syllu'n gegrwth arno.

Felly pan welodd hi'r eildro, y ddynes a ddilynodd ar hap, gwyddai mai'r peth gorau iddo'i wneud nawr oedd cerdded i ffwrdd. Mynd yn ôl at y gwesty, ffonio'r maes awyr, ac aros i glywed pryd y deuai'r awyren nesaf i'w gludo oddi yno. Gwyddai ei fod yn sefyll ar y ffin denau rhwng mympwy a gwallgofrwydd, a phetai e'n dechrau siarad â'r ddynes hon, neu'n waeth byth, yn cyfaddef iddi yr hyn yr oedd wedi'i wneud, yna fe fyddai wedi ildio i'w reddfau tywyllaf, wedi dinistrio'r foment hon o ryddhad, o lonyddwch, am byth.

Roedd e'n awchu am wydryn arall o'r *Meranese*, ond

roedd e hefyd yn gwybod y gallai un gwydryn yn ormod droi'r diwrnod ben i waered. Symudodd ei sedd yn ôl er mwyn encilio i'r cysgod rhyw fymryn. Ond mewn rhai eiliadau, cafodd ei ddal yng ngwres yr haul, fel petai hwnnw eisiau ei ddinoethi, ei ddadorchuddio'n llwyr. Cododd o'i sedd a chafodd bendro sydyn. Sadiodd ei hun yn erbyn y bwrdd. Gwyddai fod rhywrai o'i gwmpas yn ei wylio'n awr, a'r un symudiad anurddasol hwn wedi'i fradychu'n llwyr i fod yn ddim byd mwy na dieithryn. Doedd e ddim yn perthyn i'r fan hon, wedi'r cyfan. Fyddai e fyth. O gil ei lygad gwelodd fod y ddynes yn dychwelyd i'w bwrdd, a nawr yn eistedd gyferbyn ag ef, yn ei wylio gyda chwilfrydedd. O ochr ei cheg roedd mwg glas yn cordeddu i'r aer, a sigarét wedi'i dal rhwng ei bysedd tenau. Syllodd arno wrth iddo geisio camu oddi yno. Teimlai ei goesau yn sydyn yn wan oddi tano a bu'n rhaid iddo eistedd i lawr drachefn. Fe'i clywodd yn chwerthin, yn chwerthin am ei ben. Yn waeth byth, mewn rhai eiliadau roedd hi wrth ei ymyl, ac yntau'n syllu ar ei bogel noeth, heb fentro codi ei ben i gyfarfod â'i llygaid. Roedd hi'n gwisgo'r nesaf peth i ddim. Ac yn llawer ifancach nag yr edrychai hi o bellter, ddoe, yn ei siwt smart a'i bag pinc.

"Ydw i'n eich nabod chi?" meddai hi, mewn Eidaleg.

Edrychodd i fyny ati. Roedd yr haul yn llachar ac yn gorchuddio hanner ei hwyneb. Ddywedodd e ddim byd.

"Ydych chi'n siarad Almaeneg?" gofynnodd wedyn, mewn Almaeneg.

Ysgydwodd ei ben. Rhaid oedd mynd oddi yma. Fe fyddai hi'n siŵr o alw'r heddlu neu rywun. Ond roedd hi wedi'i ddal yn barod.

"Saesneg?" meddai wedyn, gan ailgynnau ei sigarét.

Penderfynodd gytuno â hi. Oedd, roedd e'n siarad Saesneg. Gallai ymresymu â hi yn Saesneg, i esbonio o leiaf fod yn rhaid iddo fynd. Rhaid ei bod hi wedi'i weld, wedi'r cyfan, y diwrnod hwnnw. Doedd e ddim am i'r darnau syrthio i'w lle, i'r darlun fod yn gyflawn. Hanner llun oedd Merano. Tref ar y ffin. Roedd e rhwng bod a pheidio â bod. Meddyliodd am yr arddangosfa yr oedd wedi'i gweld ddoe yn yr amgueddfa o waith yr artist Umberto Boccioni. Y lluniau hunllefus o hardd, lle'r oedd pob nodwedd yn toddi i'w gilydd; syllai ar ddinasoedd ar eu hanner, wynebau llurguniedig yn chwerthin yn gam, amlinelliad tywyll o gyrff yn ymblethu ar strydoedd amherffaith – dyna'n union oedd y profiad hwn iddo ef. Dyna oedd Merano. Rhyw gybolfa o liwiau a lleisiau a golygfeydd na fedrai yn ei fyw eu dal na'u dehongli. Cybolfa amherffaith o baent, heb ddiffiniad. Am unwaith yn ei fywyd roedd y llun yn aneglur, ac roedd e'n hoffi hynny. Doedd e heb feddwl llawer am ddim byd ers iddo gyrraedd, dim ond amsugno'r cyfan oll o'i gwmpas. Dyna pam roedd y ddynes yma o'i flaen yn awr yn codi cymaint o fraw arno. Roedd hi'n rhy glir, a phob nodwedd ohoni'n mynnu sylw.

"Ga i eistedd gyda chi te?" gofynnodd hi.

Ceisiodd feddwl am esgus pam na châi hi. Gallai ddweud ei fod yn methu dioddef mwg, ond fe fyddai'n siŵr o sylwi ar y blwch llwch ar y bwrdd. Yn y pen draw, ceisiodd esgus nad oedd ei Saesneg yntau'n rhy dda ychwaith – o leiaf fe fyddai hynny'n rhoi terfyn ar unrhyw sgwrs bosib y gallai'r ddau ei chynnal. "Inglish," meddai, "only understand a little bit of Inglish."

Ond doedd ganddi ddim diddordeb mewn gwrando. Eisiau siarad oedd hi.

"Dwi'n hoff o wylio pobl," meddai, a'r Saesneg herciog yn sboncio oddi ar ei thafod. Cydiodd mewn papur tenau a dechrau rholio sigarét arall. Gwyliodd Twm yr ewinedd main yn mesur y baco'n berffaith yn ei chrombil. "Gwylio pobl a dyfalu pethau amdanyn nhw."

Roedd y gosodiad wedi gwneud iddo deimlo'n annifyr. Ai gêm oedd hon? Oedd hi wedi sylwi arno, wedi'r cyfan, y pnawn hwnnw y cyrhaeddodd? Y tacsi'n sleifio o gwmpas y cornel fel neidr, fymryn o'i gafael?

"Dyna'r math o le yw Merano, ti'n gweld, y math o le lle galli di dreulio oriau jest yn gwylio pobl. Ry'n ni 'di arfer gymaint â phob math o bobl yn dod yma – mae'r lle'n newid o hyd ac o hyd. Mae e fel deffro mewn tref newydd bob dydd, dechrau o'r dechrau bob bore. A dwi ddim jest yn siarad am bobl bach di-nod, chwaith, o na. Mae 'na bobl enwog wedi bod ym Merano, ti'n gwbod. Buodd Kafka 'ma, ti'n gwbod, unwaith. Alli di ddychmygu 'na – Franz Kafka, fan hyn ym Merano? Pwy a ŵyr nad oedd e'n eistedd lle'r wyt ti'n eistedd nawr, yn sipian y *Meranese*?"

Roedd hi'n dal heb edrych i fyw ei lygaid. Teimlai'n anghyfforddus, a'i frest yn tynhau. Ceisiodd gofio pwy oedd Kafka. Yng nghil ei gof gwelai'r enw ar glawr un o'r llyfrau yna oedd ar erchwyn y gwely yn ei fflat yn Abertawe – ar ei hochr hi, nid ar ei ochr ef. Ai athronydd ydoedd? Roedd meingefn y llyfr wedi'i grychu'n ddim, bron. Roedd hi wastad yn darllen rhyw lyfrau a oedd ymhell o'i afael deallusol ef – un o'r pethau roedd e'n ei garu amdani. Fe fyddai'r llyfr yn dal yno pan fyddai'n dychwelyd adre. Efallai y dylai bori trwyddo – doedd hi byth yn rhy hwyr i geisio deall rhywun, hyd yn oed pan oedden nhw wedi gadael, onid dyna ddywedodd y seiciatrydd wrtho? Doedd e ddim wedi symud dim o'i phethau hi. Fedrai e ddim.

"Wedi meddwl," parhaodd y ferch i barablu, "siŵr o fod fyddai e ddim yn yfed y *Meranese*. Roedd e'n dioddef o TB ar y pryd. Dyna pam ddo'th e yma am wn i – i geisio gwella. A dyna ti beth arall sydd yma chei di ddim mewn llefydd eraill yn yr Eidal – yr hinsawdd mwyn 'ma. Mae'r lle'n llesol." Cymerodd ddracht go helaeth o awyr iach i'w hysgyfaint wrth ddweud hyn. "Mae'n gallu dy iacháu di, dy buro di."

Unrhyw eiliad nawr, meddyliodd, fe fyddai'r llygaid yna'n cyfarfod â'i rai ef. Ac fe fyddai hi'n gofyn iddo. Ceisiodd ymestyn ei goesau ryw fymryn, fel y byddai'n barod i godi pan ddeuai'r amser, ond roedden nhw fel plwm, wedi'u sodro i'r fan a'r lle, fel pe bai'n gerflun.

"Ai dyna pam y doist ti yma?" gofynnodd e iddi'n sydyn. "I gael dy iacháu?" Llamodd y cwestiwn o'i geg heb yn wybod iddo, a'i Saesneg yn rhy lyfn o lawer. Ond deallodd yn sydyn mai dyma'r unig ffordd i osgoi'r chwilfrydedd yn ei llygaid, a oedd fel petai'n chwyddo'n fwy fesul sip gwin.

"Fi?" chwarddodd. "Na, dwi'n byw 'ma. Ces i 'ngeni draw fan'na..." Pwyntiodd draw at dŷ tri llawr ar y sgwâr. Yn y ffenest ganol roedd dynes oedrannus yn hongian lein ddillad o un balconi i'r llall, a dynes arall yn ei dynhau'n ysgafn yn yr awel. Adnabu'r ddynes hon yn sydyn fel y wraig a gasglodd y ferch o'r maes awyr yn Verona. Gwelodd y crysau gwynion yn llenwi'n sydyn â siapiau dynol wrth i'r lein gael ei thynhau.

"Fy mam a'm mam-gu," esboniodd y ferch. "Golchi dillad trwy'r dydd. Dyna'r cyfan ma nhw'n 'i wneud. Mae Merano wedi bod yn ysbrydoliaeth i gymaint o bobl, a phobl yn tyrru yma o bob man yn y byd – fel rwyt ti wedi'i wneud – ond i fy mam a'm mam-gu, wel, dyw e ddim byd mwy na lle da i sychu dillad. Dy'n nhw ddim yn gweld yr adeiladau 'ma, na'r mynyddoedd, maen nhw wedi mynd yn rhywbeth cyffredin iddyn nhw. Yr awel sy'n bwysig. Yr awel a'r haul a'r hinsawdd – dyna'r pethau cyfnewidiol, dyna sy'n gyffrous iddyn nhw."

Ochneidiodd yn hiraethus, gan wasgu gweddillion ei sigarét i'r bedd gwydr o'i blaen.

"Nawr, Paris," meddai. "Dyna i ti le y galli di ymgolli ynddo. Gweld popeth o'r newydd. Popeth mor ddisglair o anghyfarwydd. Newydd ddychwelyd o fan'no ydw i. Wyt ti erioed wedi bod yno?"

Ysgydwodd ei ben. Paris. Cofiai i'r enw hwnnw gael ei grybwyll droeon rhyngddyn nhw – *Paris*, byddai ei gariad yn ei ddweud, *siawns fyddi di'n fodlon mynd i Baris? Dyw e ddim mor bell â hynny*. Roedd hi wedi hen roi'r gorau i geisio'i berswadio i fynd i lefydd pellennig – Abu Dhabi, Zimbabwe, ynysoedd yr Andaman a Nicobar. Cyfaddawd tyner oedd Paris; ei llaw ar ei fraich, a'i llygaid yn fawr. Ond gwrthododd Baris hyd yn oed. Cau'r cês cyn iddi allu dechrau pacio. Doedd e erioed wedi bod ag awydd mynd i unman. Doedd e ddim yn lico'r anghyfarwydd, yr ieithoedd, y traddodiadau gwahanol; roedd e eisiau i bethau aros fel roedden nhw. Hi a fe, y fflat yn Abertawe. Gwelai nawr nad ofni'r newid ydoedd, ond ofni fe ei hunan. Tueddu i golli ei ben ydoedd mewn sefyllfa anghyfarwydd, i beidio â gwybod beth i'w wneud nesaf, i droi'n ddyn gwan, aneffeithiol. Doedd e ddim am iddi weld sut berson ydoedd e go iawn. Ond sylweddolodd, yn llawer rhy hwyr, fod ganddo'r gallu, wedi'r cyfan, i gadw'i ben uwchben y dŵr yn y fath sefyllfaoedd. Onid dyma oedd y person go iawn – yr hwn a eisteddai yma'n awr, wedi llwyddo i gyrraedd mor bell â Merano heb unrhyw gynllun, heb unrhyw fwriad yn y byd? Tasai hi 'mond yn gallu ei weld yn awr – y *Meranese* yn cythru trwy ei wythiennau a dynes hardd, ddieithr yn paldaruo wrth ei ochr.

"Fe rown i'r byd pe bawn wedi bod ym Mharis ar y diwrnod y ffrwydrodd y llosgfynydd," meddai'r ferch. Doedd hi ddim yn edrych i fyw ei lygaid nawr, ond i rywle arall, ymhell, bell i ffwrdd, a goleuadau dinas arall yn dechrau fflachio rhwng ei hamrannau. Gallasai fod yn siarad ag unrhyw un, ymresymodd. "Dyna pam dwi'n lico siarad â'r ymwelwyr," ategodd hi. "I weld Merano trwy eu llygaid nhw. Dwi'n chwarae gêm â'n hunan bob tro y bydda i'n dychwelyd. Dwi'n edrych ar yr arwyddion ffyrdd ac yn dychmygu mod i'n ymwelydd sydd erioed wedi bod yma o'r blaen. Dwi'n ceisio darganfod y geiriau o'r newydd. Bolzano-Bozen – bydda i'n esgus mod i erioed wedi gweld yr enwau hynny, yn esgus nad ydw i'n deall yr iaith, hyd yn oed. Dim ond i gael y teimlad sydyn hwnnw o gyffro – y teimlad o'r anghyfarwydd, a mod i wedi glanio mewn rhywle newydd yn y byd. Mae'n deimlad cyffrous, on'd yw e? A dwi'n eiddigeddus ohonot ti. Achos hyd yn oed os arhosi di yma am rai diwrnodau eto, bydd 'na lefydd ym Merano fyddi di heb eu gweld. Byddi di'n dal i gael y wefr yna wrth droi cornel a gweld rhywbeth annisgwyl. Castell Rametz falle un diwrnod, a'r diwrnod wedyn, promenâd y Tappeiner, lle cei di ddringo tŵr y Pulverturm a gweld Merano yn ei holl ogoniant. Ond wedyn, nid hyd yn oed y pethau hynny sy'n fwyaf cyffrous, naci? Y pethau rwyt ti'n eu gwneud ar hap weithiau sy'n newid dy fyd di am byth.

"Pan o'n i ym Mharis, wedi rhyw ginio crand mewn neuadd yn y ddinas i ddathlu partneriaeth rhwng ein busnesau ni, fe wnaeth un o'r trefnwyr, a oedd ychydig yn feddw, gynnig mynd â chriw ohonon ni 'nôl i'w dŷ e, ar gyrion Paris. Ac wrth gwrs, gwnes i gytuno, achos, wel, mae popeth fel hynny'n brofiad, on'd yw e? Ces fy ngwthio i dacsi gydag un dyn arall a dynes nad o'n i braidd wedi siarad â nhw yn y cinio, ac i ffwrdd â ni. A dyma ni'n cyrraedd y tŷ crand yma, a dyna lle'r oedd gwraig y boi yma ar stepen y drws â'i breichiau wedi'u croesi'n ddiamynedd yn arthio arno am iddo ddod â'r holl bobl ddieithr yn ôl i'r tŷ, ond roedd e jest yn chwerthin ac yn ein hannog i fynd i mewn – a wel, ti'n gwbod fel rwyt ti yn y stad 'na. Dwyt ti byth yn mynd i weld perspectif y wraig – rwyt ti'n hytrach yn gweddïo bod modd i'r parti gario mlaen."

Cripiai'r haul yn araf nawr dros y sgwâr, gan oleuo ei gwallt brown golau, a rhoi gwedd newydd, euraid iddo. Roedd ei gorun yntau'n llosgi, a gwyddai ei fod yn fwy na thebyg yn troi mor binc â chimwch o'i blaen er gwaethaf ei wedd Iberaidd – a hynny'n bradychu ei ddieithrwydd unwaith yn rhagor – ond doedd dim modd iddo symud nawr. Nid i brynu eli haul, nac i wneud unrhyw beth mor gyffredin, a hithau ynghanol ei llith. Rhyfeddodd at y ffaith bod ei gorff ym Merano ond bod ei feddwl nawr wedi teithio mor bell â Pharis, a'r cyfan oherwydd iddo ddilyn y ddynes anghywir.

"Ta beth," meddai'r ferch, gan ddewino sigarét arall o'i bysedd mewn eiliadau. "'Naethon ni i gyd anwybyddu'r wraig 'ma, ac i mewn â ni i'r tŷ. Weles i ddim y ffasiwn le erioed. Roedd hi'n amlwg fod y dyn 'ma'n gyfoethog iawn, oedd e fel bod mewn palas – paentiadau olew ar y waliau, grisiau mahogani sgleiniog, tŷ bach bron yn rhy dda i bisio ynddo – ti'n gwbod y math o le dwi'n sôn amdano. A'r siampên yn llifo, y dynion mwyaf annhebygol yn dawnsio, yn gwneud ffyliaid ohonyn nhw'u hunain, pawb wedi ymgolli yn yr un foment ddwl yma a phob dim yn ddoniol. Y chwerthin fel petai e'n dod o rywle dwfn ynot ti, rhywle go iawn – nid fel y chwerthin sy'n rhaid ei wneud mewn rhyw ddigwyddiad cymdeithasol, ond chwarddiad cynnes, ti'n gwbod? Ac ar adeg fel hyn, wel rwyt ti'n sylweddoli dy fod ti ynghanol *profiad*, ti'n gwbod. Profiad 'nei di byth ei anghofio."

Gwelai Twm y cyfan o'i flaen. Dychmygai ei hun yn rhaeadru yn y tŷ bach a oedd yn rhy dda i bisio ynddo, yn llithro i lawr y banister mahogani, glanio ar ei din ar lawr marmor, ac yna'n dod lygad yn llygad â sliperi'r wraig flin. Ac wrth iddo gael ei ddwrdio, fe fyddai'n chwerthin, yn chwerthin nes bod pob cyhyr ynddo'n gwegian. Oedd, roedd e'n gweld sut roedd profiadau fel hyn yn galluogi rhywun i weld y ddinas tu chwith allan, ac yn rhoi gwir *brofiad* i rywun, mewn modd na allai dringo'r Tŵr Eiffel neu ymweld â'r Louvre, gan ddilyn olion biliynau o draed a oedd wedi gwneud yr un fath. Roedd profiadau fel hyn yn garped glân – neu'n llawr marmor oer – nad oedd pawb yn ddigon dewr i'w droedio. Ond roedd meddwl am hyn hefyd yn ei lenwi â thristwch a oedd yn gwasgu ar ei gylla. Petai wedi mynd i Baris gyda'i gariad, annhebygol iawn y bydden nhw wedi dod ar draws y fath brofiadau. Fe fydden nhw wedi bod yn sefyll y tu allan i ryw orsaf Metro yn dadlau ble i fynd nesaf, ac fe fyddai ef wedi mynd i banic. Fe fyddai hi – fel y wraig yn y stori – wedi croesi ei breichiau yn ddiamynedd, ac fe fyddai yntau wedi dewis y trên anghywir, jest er mwyn cael mynd oddi yno, jest er mwyn gohirio'r ddadl am ychydig oriau eto. Fyddai e ddim hyd yn oed wedi *gweld* Paris, fe fyddai e'n gaeth yn ei feddwl ei hun. A'r hyn oll tra oedd merch o Merano prin ganllath i ffwrdd, ei sodlau uchel yn clecian ar lawr marmor a'i llygaid yn adlewyrchu sêr gwyn rhyw siandaliers anghymharol.

"Ond ti'n gweld," aeth y ferch ymlaen. "O'n i'n meddwl mod i ynghanol y profiad bryd hynny, reit yn ei ganol e – ond yna digwyddodd rhywbeth arall. Ar fy ffordd 'nôl o'r tŷ bach, gweles i blentyn bach, yn sefyll ar dop y grisiau, yn ei byjamas. Fyddet ti'n meddwl y bydde gweld menyw ddieithr yn dod allan o'r stafell molchi ynghanol nos yn ddigon i ddychryn unrhyw blentyn, ond safodd yr un bach yma'n gwbl lonydd o 'mlaen i, heb ddychryn o gwbl. Wnaeth e ddim hyd yn oed gofyn pwy oeddwn i – ac ro'n i'n ofni ei ddychryn, felly ddwedes i ddim byd chwaith. Estynnodd ei law tuag ata i, ac fe gymres i hi. 'Dere gyda fi,' medde fe, mewn Ffrangeg. Felly fe es i. Fe ddilynes i'r plentyn bach i lawr tair set o risiau gwahanol, a finne'n feddw, yn hanner call a dwl, yn fy sodlau uchel, i lawr heibio synau'r parti, i lawr i ryw stafell dywyll yng ngwaelod yr adeilad. 'Nes i ddim hyd yn oed meddwl sut y bydde'r peth wedi edrych, ti'n gwbod, tasai'r fam wedi'n gweld ni, ma'n siŵr y byse'n gwneud iddi feddwl mai fi oedd yn ei dywys e, mod i'n trio ei gipio fe neu rywbeth. Ond dyma ni'n dod i stop, wrth ddrws, ac aeth y plentyn i mewn. O'n i'n gallu clywed rhywun yn chwarae'r piano. Ro'n i'n gyndyn i fynd ymhellach ond roedd gafael llaw'r bychan amdanaf i mor daer, allen i ddim gwrthod rywsut. Ti'n gwbod fel wyt ti gyda phlentyn – ma nhw mor fach ond eto rywsut mae ganddyn nhw'r fath bŵer drosot ti, on'd o's e?"

Syllodd Twm arni. Na, doedd e ddim yn gwybod. Rhoddodd ei hun yn yr un sefyllfa – gwelodd law'r plentyn yn hwylio tuag ato, y bysedd bach gwyn, diamddiffyn yn ymestyn trwy'r aer. Gwyddai'n iawn y byddai wedi gwrthod cydio yn ei law, meddw neu beidio. Fe fyddai wedi rhuthro 'nôl i lawr y grisiau tuag at y parti, gan edrych dros ei ysgwydd yn nerfus bob hyn a hyn i weld a oedd y plentyn yn dal yno.

"I mewn â ni i'r stafell. Roedd hi mor dywyll yno, prin ro'n i'n gallu gweld. Ac yn y cornel, dyna lle'r oedd merch ifanc – allai hi byth wedi bod yn fwy nag wyth neu naw oed – yn chwarae'r piano. Ac nid fel y byddet ti neu fi wedi chwarae'r piano yn wyth oed, yn fodiau i gyd, ond fel *virtuoso* go iawn. Stopiodd i'm hwynebu i, a heb falio dim pwy oeddwn i dywedodd, 'Plis, eisteddwch i lawr. Nawr dwi am berfformio "Clair de Lune" gan Debussy.' A dyna lle bues i'n gwrando arni, gyda'r plentyn bach, ei brawd hi am wn i, bellach yn eistedd yng nghornel y stafell yn chwarae gyda'i deganau, a minnau'n sipian fy siampên mewn cadair blastig oedd yn rhy fach i mi – cadair plentyn – wrth ei hymyl."

Rhegodd y ferch yn sydyn mewn Eidaleg, wrth i ddafn olaf y sigarét losgi ochr ei cheg. Cymerodd ddracht o'i choffi. Yn yr ychydig eiliadau hynny roedd Twm eisoes wedi dyfalu diwedd y stori – dychmygai'r fam flin yn eu canfod a'u hel oddi yno, a'r ferch yn rhedeg nerth ei thraed 'nôl i'r parti, yn diawlio'r plentyn am ei thywys i'r fath lanast. Ond wrth gwrs, nid dyna oedd wedi digwydd iddi hi. Dyna fyddai wedi digwydd iddo *ef*.

"Ac wedi iddi orffen, gwnes i roi fy ngwydr i lawr a chlapio. Clapio fel na chlapiais i erioed cyn hynny. Ac roedd yr olwg ar ei hwyneb hi – wel, roedd e'n amhrisiadwy.

Roedd fel petasai heb gael ei chymryd o ddifri cyn hyn. Ac roedd y crwtyn bach, yn dal ar ei gwrcwd ar lawr, yn edrych i fyny ar ei chwaer fawr yn llawn edmygedd. Ac fe godais i a dweud, 'Wel, diolch i chi'ch dau am noswaith hyfryd,' ac allan â fi o'r stafell, 'nôl lan y grisiau a 'nôl i'r parti. A neb yn ddim callach lle ro'n i wedi bod, neb wedi sylwi hyd yn oed mod i wedi gadael. Ac er mod i eisiau dweud wrth bawb am y profiad a gefais, roedd hi rywsut yn well cadw'r peth yn gyfrinach, yn ddwfn ynof fi'n hun, achos mai dim ond fi oedd yn deall gwir natur y profiad. Pa mor unigryw a bisâr bynnag oedd e, mod i, dynes o Merano, yn eistedd mewn rhyw stafell dywyll mewn tŷ dieithr ym Mharis yn gwrando ar y ferch 'na'n chwarae'r piano. Fy mhrofiad i oedd e.

"Drannoeth, ro'n i'n gwbod y bydden nhw i gyd yn siarad am y parti, ac fe wnaethon nhw, yr holl ffordd adre – wyt ti'n cofio hyn a hyn yn digwydd, wyt ti'n cofio hwn, llall ac arall yn gwneud hyn? Ac o, y chwerthin! Teimlo eu bod nhw'n rhan o rywbeth unigryw. Ond yr holl ffordd adre, ro'n i'n meddwl am y chwarter awr a dreuliais i gyda'r plant, neb ond fi a nhw. A dwi ddim wedi dweud wrth unrhyw un am y profiad – ddim hyd yn oed wrth fy mam na'm mam-gu. Achos wrth adrodd am rywbeth fel 'na wrth rywun, wel, ma'n colli ei rym, rywsut, on'd yw e? Wrth i mi ddweud y stori nawr wrthot ti, dwi'n gweld falle nad yw hi'n stori hynod, ond mae hi'n hynod i *fi*."

Deallodd yntau'n sydyn pam roedd hi wedi dweud wrtho ef. Roedd hi'n meddwl bod pob dim a welai yntau'n awr ym Merano mor gyffrous o ddieithr ag ydoedd Paris iddi hithau. Ond doedd hi ddim yn deall nad er mwyn ennill cyffro roedd e'n ceisio deall y dieithrwch. Er ei fwyn ef ei hun, er mwyn deall ychydig o'r hyn oedd wedi digwydd iddo ef – ac i'w gariad, nad oedd yn bodoli mwyach oherwydd yr effaith y gallasai'r dieithrwch hwn ei gael ar rywun. Roedd yn rhaid iddo ddianc o Abertawe am y rheswm syml na allai yntau, yn ei fyw, weld y ddinas honno trwy lygaid rhywun arall. Ac ni fedrai, felly, ddeall sut y byddai modd i'r corneli hynny o'r ddinas a oedd mor gyfarwydd iddo ef greu trafferth i rywun arall. Creu damweiniau hyd yn oed. Ond roedd Merano, ei gestyll, ei fynyddoedd, ei strydoedd culion, a'r ffordd roedd e'n eistedd yma nawr, yn siarad â'r ferch hon, wedi rhoi rhywfaint o berspectif iddo, roedd hynny'n wir. Deallai y gallai dieithrwch fod yn rhywbeth cyffrous, yn rhywbeth hardd.

"Felly, yr hyn dwi'n ei ddweud yw..." meddai'r ferch, wrth i'r llwydni dywallt rhwng ei dwy wefus, "gad i mi roi'r un profiadau i ti. Dere allan gyda fi heno, cwrdd â fy ffrindiau, ac fe gei di weld y ddinas tu chwith allan. Paid â darllen y tipyn pethau yma," meddai, gan bwyntio at lyfr taith ar y bwrdd. "A phaid â dilyn hwn, chwaith," meddai, gan gydio mewn map papur o'r dref a oedd o dan ei gwpan coffi a'i rwygo'n ddarnau. "Achos os dilyni di fap neu lyfr taith bydd dy ben di'n sownd yn hwnnw. Fyddi di ddim yn *profi* dim byd, ddim yn gweld y pethau bychain yma i gyd. Dere mas gyda fi a'n ffrindiau ac fe gei di brofi pethau mewn ffordd gwbl wahanol. Pwy a ŵyr," meddai gan grechwenu, "efallai y gwnei di ffeindio dy hun mewn tŷ dieithr ar ddiwedd y nos, mewn parti, yn siarad 'da pobl na fyddet ti erioed wedi meddwl eu cyfarfod!"

Gwenodd hi arno. Gwenodd yntau'n ôl. Teimlai'n gryfach o lawer yn awr, a'i gorun yn dechrau oeri drachefn.

Fe fu'r ferch yn parablu cymaint nes y teithiodd yr haul o un pen y sgwâr i'r llall, ac roeddent nawr yn eistedd mewn cysgod oer.

"Wel," meddai, gan anghofio siarad Saesneg yn fratiog unwaith eto. "Mae hi wedi bod yn bleser siarad gyda chi. Ond mae'n rhaid i mi fynd yn awr."

Llamodd ei llygaid mewn syndod.

"Ond fe wnawn ni gwrdd nes mlaen, gwnawn? I mi gael dy dywys o gwmpas?"

"Na," meddai'n bendant, gan osgoi edrych arni. "Diolch i chi am y cynnig ond mae'n well gen i ddarganfod y dref ar fy mhen fy hun."

"Ond..."

"Da bo chi nawr..."

Cerddodd i ffwrdd oddi wrthi'n gyflym, heb edrych yn ôl. Fe'i clywodd yn tuchan yn uchel, fel petai wedi'i thramgwyddo mewn rhyw ffordd, ac fe welodd ddynion eraill o'i gwmpas yn rholio eu llygaid ac ysgwyd eu pennau. Rhaid mai ychydig iawn o ddynion fyddai'n ymwrthod â chael noson allan ym Merano gyda dynes debyg i hon. Ond y ffaith syml amdani oedd iddi ddechrau mynd ar ei nerfau. Roedd e wedi'i dilyn ar hap, yr holl ffordd i Merano. Ond nid ar hap y daeth hi ato'r bore hwnnw. Roedd hi wedi cerdded yn bwrpasol tuag ato, wedi ceisio newid ei stori, llywio ei hanes. Doedd dim hawl ganddi wneud hynny.

Cerddodd yn gyflym yn ôl tuag at ei lety gwely a brecwast. Teimlai iddo dreulio bron hanner ei fywyd ar y sgwâr hwn, ac roedd Merano bellach yn dechrau ei ddychryn. Y ferch a'i llygaid mawr, y gonestrwydd, yr hyder yn llifo ohoni. "Mae Merano'n ddrws ar y byd," oedd ei sylw hi wrth iddo adael, ac yntau'n ceisio peidio â gwrando. Ac roedd e'n gweld ei phwynt hi. Yr holl gopaon gwyn yma o'i amgylch ym mhob man, ar ddiwedd pob stryd, yn ei ddenu o bob cilfach. Mor agos at y ffin ydoedd, fel y gallai'n hawdd groesi draw i'r Alpau, ac o'r fan honno i'r Almaen, a chyn iddo wybod fe fyddai wir ar goll yn y byd, wedi'i lyncu ganddo, heb fwriad o fynd 'nôl. Dychmygai mor hawdd fyddai gwneud hynny. On'd oedd 'na bobl fel fe'n diflannu bob dydd? Pobl oedd wedi bod *trwy* bethau. Erbyn hyn roedd 'na gymuned o bobl golledig, bron nad oedden nhw'n golledig o gwbl, am fod cymaint ohonyn nhw, o'r un anian, wedi'u gwasgaru rhywle ar draws y byd. Bob Nadolig fe fyddai rhieni a theulu'n sefyll wrth droed rhyw goeden enfawr yn y Cynulliad, ac yn hongian eu henwau ar y brigau. Fyddai dim ots ganddo fod yn enw ar frigyn. Gwell hynny nag yn enw ar garreg fedd, fel yr oedd ei gariad bellach. Gwell hynny na bod yn berson o gig a gwaed yn hofran o gwmpas Abertawe, heb fwriad, heb awydd yn y byd.

Ond yna, yn ddiweddar, roedd ei mam wedi dechrau ei ffonio ar nos Wener, ei llais ar ryw lwybr anwastad, dim ond i siarad amdani *hi*. Dim ond i gadw'r atgof yn fyw. Meddyliodd am y ffôn yn canu mewn stafell wag. Y frechdan yn llwydo. Y waliau'n atseinio'r gwacter.

Cyrhaeddodd risiau'r gwely a brecwast, a dringodd i'w stafell. Safodd allan ar y balconi am ychydig i weld Merano yn ei holl ogoniant. Oedd, roedd y ferch yn iawn, roedd y lle'n ddrws ar y byd, yn atgof o'r ffiniau oedd o'i gwmpas ym mhob man, petai 'mond yn ddigon dewr i'w croesi. Doedd e erioed wedi bod yn ddigon dewr, tan nawr. Petai e wedi mynd â'i gariad i Baris, croesi'r ffin fechan honno nad oedd 'mond yn daith awyren neu'n dwnnel du, efallai,

efallai'n wir y byddai hi yma gydag ef yn awr. Ond wedyn petai rhywrai eraill heb groesi eu ffiniau personol nhw, yna efallai na fyddai'r ddamwain wedi digwydd.

Gwneud yr hyn roedd hi'n arfer ei wneud oedd hi – yr hyn a wnâi bob bore ar ei ffordd i'r gwaith ar ei beic. Troi cornel, y gwynt yn ei gwallt a'i chot las-ddu amdani. Yn ôl y rheiny a welsai'r ddamwain yr oedd hi wedi ufuddhau i'r drefn i'r dim, wedi ymestyn ei llaw fain allan i'r dde er mwyn nodi ei bod hi'n troi, ac roedd y gyrrwr tu ôl iddi – yntau'n frodor o Abertawe – wedi deall ei chyfarwyddiadau i'r dim. I ddweud y gwir, roedd e'n un o'r bobl hynny oedd yn teithio ar yr un heol, yr un amser bob bore, ac roedd e wedi bod y tu ôl i'r ferch fwy nag unwaith yn ei fywyd. Ond yr hyn nad oedd modd rhagweld oedd fod car arall yn teithio'n rhy gyflym ar yr heol fechan lle'r oedd hi'n troi.

Tramorwyr oedden nhw. Ar wylie o Norwy. Doedden nhw ddim yn gyfarwydd â'r car, ac roedd yr arwyddion ffyrdd wedi eu drysu'n llwyr, yn ôl yr hyn a adroddwyd yn y cwest. Dychmygai Twm droeon y daith y bydden nhw wedi'i gwneud o faes awyr Caerdydd i Abertawe, y wraig yn syllu mewn rhyfeddod ar yr arwyddion glas a gwyrdd wrth geisio tywys ei gŵr i'r cyfeiriad iawn. *Caerdydd/ Cardiff. Penybont/Bridgend. Pîl/Pyle.* Pob dim a edrychai mor syrffedus o gyfarwydd iddo am gyhyd o amser yn awr yn cymryd gwedd estron yn ei ben. Oedd, roedd e'n gweld sut y gallai'r lôn hon gyffroi rhywun nad oedd wedi'i gweld o'r blaen. Ac roedd e'n gweld sut y gallai Abertawe, y traffig, yr arwyddion brown, yr adeiladau mawrion, yr holl bethau hynny, ddrysu pen rhywun, fel roedd Merano yn ei ddrysu ef yn awr. Weithiau, roedd hi'n hawdd gwneud camgymeriad.

A digwydd bod, mewn man oedd yn gwbl gyfarwydd iddi hi, a man oedd yn gwbl estron i'r cwpl o Norwy – dyna lle digwyddodd y ddamwain. Y cyfarwydd a'r anghyfarwydd yn cyffwrdd â'i gilydd mewn un foment hunllefus o dyngedfennol; sŵn metel yn erbyn rwber, sŵn cnawd yn rholio dros fonet car, sŵn panic ynghyd â sŵn poen. Bu farw'r gyrrwr hefyd. Wrth droi, er mwyn ceisio osgoi'r ferch gwbl ddieithr ar ei beic, trodd at y wal. Dim ond y wraig oedd ar ôl; y wraig ac yntau, yn methu'n deg ag edrych i fyw llygaid ei gilydd yn y cwest.

Cofnodwyd rheithfarn o farwolaeth trwy ddamwain. Roedd ei gariad yn teithio fymryn yn rhy gyflym ar ei beic, meddai'r barnwr, am ei bod hi'n orgyfarwydd â'r strydoedd. Ac roedd ymateb y gyrrwr ychydig yn rhy araf – am nad oedd yn gyfarwydd â'r ffordd, nac ag offer llywio'r car. Roedd y ddau ffactor yn gyfrifol am y ddamwain, ac am wneud heol arferol ddiogel yn un beryglus. Cofiai Twm sut y gwnaethai'r digwyddiad iddo edrych ar yr holl ddinas o'r newydd, pob un cornel nawr yn gwbl ddieithr iddo, yn llawn peryglon annisgwyl. Pob dim a fu'n ddof a diniwed yn awr yn sinistr.

Syllodd allan drachefn dros harddwch Merano. Roedd y golau wedi newid rhyw fymryn – aur tanbaid y bore bellach yn diferu'n felynwy prynhawn, a'r gweithgaredd ar y sgwâr, y ffrwd o goesau prysur, wedi ildio i symudiadau araf ambell bensiynwr yn croesi o'r naill dŷ i'r llall. Seddi gwag a syllai'n ôl arno o'r caffi prysur y bu ynddo'r bore, a doedd dim golwg o'r ferch y bu e'n siarad â hi erbyn hyn. Wrth edrych y tu hwnt i'r sgwâr, gwelai'r mynyddoedd, ac er na fedrai eu gweld yn iawn, gwelai forgrug prysur yn diferu o'r copa – sgiwyr ar eu ffordd i lawr y llethrau – a meddyliodd mor braf fyddai bod yno'n awr, yr awel oer yn ei daro'n sydyn, lond ei ysgyfaint, ac yntau'n ildio ei hun i'r elfennau, i symudiad, i berygl newydd. Meddyliodd pa mor wahanol fyddai'r profiad o weld Merano o'r mynydd, a tho coch a du ei lety fel buwch goch gota yn y pellter. Byddai rhywun yn teimlo'n fawr, siawns, o'r fan honno, yn hytrach na theimlo'n fach, yn bitw ac yn llai na'r hyn oeddech chi, fel roeddech chi o'r fan hon.

Clywodd y ffôn yn canu y tu ôl iddo. Mor gyfarwydd oedd y sŵn iddo – yn atgof brawychus o'r hyn a fu – ond eto roedd yn ddieithr, yn un nodyn hir, estron. Roedd gan alwad ffôn y gallu i newid pob dim. Meddyliodd am y ffordd roedd wedi codi'r derbynnydd y diwrnod hwnnw, ar ganol gwneud rhywbeth arall, ei suo yng nghrud ei ysgwydd gan barhau i symud o gwmpas y fflat tan y daeth y newydd a wnaeth iddo stopio'n stond yn ei unfan. Meddyliodd, fwy nag unwaith, am yr alwad ffôn fel y peth drwg a ddaeth i'w fywyd, nid y newyddion ei hun. Petai heb ateb, petai wedi parhau i ddianc oddi wrth y wybodaeth ar ben draw'r lein, yna fe fyddai popeth yn iawn.

Funudau'n ddiweddarach, canodd y ffôn drachefn. Atebodd yn gyflym, cyn iddo gael amser i newid ei feddwl. Yn ôl perchennog y llety, roedd perygl y llosgfynydd wedi peidio. Roedd yr awyrennau'n dechrau hedfan yn ôl i Brydain o Verona y noson honno. Roedd 'na fws arbennig wedi'i drefnu i deithwyr yn gadael y sgwâr am bump, ac fe allai archebu sedd iddo ar y bws hwnnw petai'n dymuno. Doedd dim byd i'w rwystro rhag gadael, meddai'r fenyw, a'i llais yn codi hwyliau gyda phob un darn o wybodaeth newydd a gyflwynodd iddo. Yr oedd hi, heb os, wedi gweld yr olwg lwydaidd ar ei gwestai ifanc dros y diwrnodau diwethaf, ac wedi dyfalu, mae'n siŵr, mai hiraethu am adref, am y cyfarwydd, ydoedd, meddyliodd

Twm. Ceisio codi ei galon roedd hi gyda'r newyddion, heb ddeall bod pob un manylyn clir, pendant yn gwneud i'w galon suddo'n is i'w asennau. Roedd llwybr pendant wedi'i osod o'i flaen. Y llwybr pendant am adre, i ffwrdd o'r ffiniau.

Doedd dim i'w rwystro rhag gadael, nawr. Dim byd ond ef ei hun.

Diolchodd iddi am y wybodaeth. Dywedodd na fyddai angen sedd ar y bws, ei fod wedi gwneud ei drefniadau ei hun er mwyn cyrraedd adre.

Daeth cysgodion i chwarae mig â'r adeiladau, a gwelodd yn sydyn mor llwydaidd oedd ambell adeilad yn y golau hwnnw, a'r craciau bychain fel gwythiennau rhanedig ar eu hyd. Ond er hynny, roedd 'na bobl yn dal i ystwyrian o gwmpas y lle, yn rhyfeddu'n gegrwth ar y dre, na welsant ei bath erioed o'r blaen. Rhyw ganllath oddi yno, gwelodd ddyn tua'r un oed ag ef, yn edrych ar fap wyneb i waered, yn ceisio ei orau i ffeindio'r ongl orau i ganfod yr hyn roedd e'n chwilio amdano. Cariai fag trwm ar ei gefn, ac edrychai fel petai wedi bod yn teithio ers rhai misoedd, a'r profiadau wedi'u naddu i'w goesau blinedig, blewog – pob dinas a ymwelsai â hi rywsut wedi ymgartrefu yng ngwneuthuriad ei wyneb cyhyrog. Gallai ddilyn hwn nesaf, meddyliodd Twm, pe bai'n symud yn ddigon cyflym. Dilyn trywydd llwybr anweledig, wyneb i waered rhywun arall, ei ddilyn i gopa'r mynydd pe byddai'n rhaid. Dros y ffin.

Clywodd gloch beic yn canu. Roedd e'n clywed y sain honno bob dydd, yn ei ben, y tincial dolurus hwnnw a wnâi iddo feddwl amdani hi'n dychwelyd o'r gwaith, ond roedd tarddiad y peth yn real y tro hwn, wrth i ddynes ganol-oed, olygus hwylio i ganol y sgwâr, a gweddillion yr haul yn plethu i gawod ei gwallt rhydd. Roedd ganddi fag plastig clir yn ei llaw, yn hongian oddi ar y ddolen, yn llawn o orennau a thomatos ffres. Tybed lle'r oedd hi'n mynd? Dychmygodd y gallai rentu beic, ei dilyn allan i'r coed a'r caeau, ymgolli yng nghefn gwlad Merano unwaith ac am byth. Ymhen dim, roedd hi wedi diflannu i lawr un o'r strydoedd cul, a'r gloch yn ddim byd ond cytgan wan yn y gwynt.

Tybed a fyddai'n fwy llesol iddo ddilyn torf? meddyliodd. Fe allai ddilyn ôl troed y teulu hwn a welai'n awr o'i flaen yn croesi'r sgwâr. Mam a thad a thri o blant. Yn cerdded i gyfeiriad gwahanol, i ganol y dref – fel petaen nhw'n cael eu tywys gan negeseuon cyfrin yn yr aer, yn rhuthro i rywle, perfformiad awyr agored o ryw opera neu'i gilydd efallai, yn ôl eu gwisgoedd sidanaidd. Chwarddai'r plant ar rywbeth yr oedd eu tad newydd ei ddweud, gan bwnio'i gilydd yn chwareus. Dwy ferch a bachgen oedd yma, oll o dan ddeg oed, y merched yn hyder i gyd, yn fenywod bach yn eu ffrils gwynion, a'r bachgen, yn ei drowsus byr, yn llusgo wrth gwt y teulu, ei ben i lawr, yn cerdded yn bwyllog fel hen ddyn er mwyn osgoi sefyll ar y craciau yn y palmant.

Edrychodd Twm drachefn tua'r mynyddoedd mawr gwyn a theimlodd rywbeth yng nghrombil ei stumog nad oedd wedi'i deimlo ers meitin.

Bywyd. Yno'n cronni, cyn ymrolio'n filoedd o lwybrau o'i flaen.

Hollti Blew

ROEDD 'NA DRI ohonom, wrth gwrs. Dwi'n dweud 'wrth gwrs' am fod y rhif hwnnw bob amser yn dynodi math rhyfedd o wirionedd. Doedden ni ddim yn foch bach, nac ychwaith yn wrachod, ond yn sicr roedd ein hanes yn rhan o ryw fath o chwedl. Roedden ni'n ynysig ond yn gadarn, yn gwisgo mygydau ac yn cadw cyfrinachau.

Ac yn deall ein gilydd i'r dim.

Mae rhifau yn bwysig i mi. Trwy gydol fy mywyd yr wyf wedi siarad dwy iaith, gan weld pedwar darlun, a dehongli chwe gwahanol ystyr. Mae fy modolaeth wedi'i seilio ar luosogrwydd. Felly, pan ddigwyddodd y peth, doedd e ddim yn annisgwyl. Roedd yn fwy o ganlyniad, mewn gwirionedd. Y peth mwyaf naturiol yn y byd oedd i ran ohonof fynd gam ymhellach; ehangu hyd nes bod ganddi gannoedd o leisiau, nes ei bod yn ddyfnach na mil o gefnforoedd.

Pa ran felly? Fy ngwallt, wrth gwrs.

Roedd 'na dri ohonom yn y clinig gwallt. Mrs Pitw oedd enw'r claf cyntaf, er nad oedd dim ond helaethrwydd yn perthyn iddi. Roedd ei gwallt yn glymau rhyfedd o gudynnau fioled a oedd wedi cael sawl triniaeth, meddai hi. Ei phersonoliaeth, serch hynny, oedd yr argyfwng go iawn. "Nid *blue rinse* yw e," poerodd dros ei chopi o *Hollti Blew,* "ro'dd Mam yn fôr-forwyn."

Roedd yr ail glaf yn ddyn ifanc. Yn ei feddiant roedd y distawrwydd puraf, trymaf. Roedd ei ben yn foel, ar wahân i un neu ddau dwffyn pluog a lynai ar ei gorun. Ond roedd 'na rywbeth yn braf am allu cyfri'r blew ar ei ben; cyfrais saith i gyd, a'r rheiny'n fregus fel coesau corynnod. Rhwng ei ddwylo crynedig roedd copi o'r *Mabinogi*. Roedd rhywbeth hunllefus yn y ffaith ei fod wedi dewis arteithio ei hunan trwy ddarllen am gymeriadau mor lliwgar, a chanddynt gyfoeth o wallt. Efallai mai'r cyfan a welai o flaen ei lygaid mewn gwirionedd oedd ei wallt ei hun, yn disgyn i ffwrdd gyda'r geiriau.

Ac ym mhen draw'r ystafell aros, yr oeddwn i; fy nghorff eiddil mewn sedd goch, foethus, fy nwylo gwynion yn llachar yn erbyn fy ffrog ddu, fy ngwallt yn ymrolio am fy ysgwyddau fel nadredd. Ychydig ddyddiau ynghynt, roedd fy ngwallt wedi ffrwydro trwy fy nghorun fel bwystfil. Yr oedd yn ddiddiwedd, heb ffiniau. Yn drwch o ddicter, ac yn ysu am ddial arnaf, am fy mod wedi'i gaethiwo. Trwy'r blynyddoedd bûm yn ei binio, ei liwio, ei grychu, ei dyllu, a'i hollti. Ei sythu, ei stemio, a'i losgi. Yr oeddwn wedi'i drawsnewid hyd nes nad oedd yn adnabod ei wreiddyn ei hun.

Fedrai neb amcangyfrif ei niferoedd. Roedd 'na fyddinoedd distaw yn codi o'r corun bob eiliad, bob munud, bob awr.

Tair tres o wallt. Tri bywyd gwahanol. Tair gweledigaeth. Doedd 'na ddim byd yn gyfrin am weledigaeth Mrs Pitw. Roedd hi eisoes wedi datgelu ei bod wedi cael ei gollwng ar ei phen pan oedd yn blentyn – gwraidd ei holl broblemau. Roedd ei mam yn mynnu bod y fasged ar flaen ei beic yn lle digon diogel i blentyn. "Ond do'dd e ddim, mae'n amlwg," meddai, gan gydio'n dynn yn fy mraich. "Achos roedd hi'n croesi cyffordd rhyw ddiwrnod, a phan gyrhaeddodd hi'r ochr arall, do'n i ddim yno. A dyna lle ro'n i, yn rowlio o dan ryw gar fel marblen. Allen i fod wedi cael fy lladd. Chi'n lwcus mod i yma o gwbl."

Blaenau hollt. Mae'n rhyfedd sut y gall rhywbeth mor ddibwys grynhoi'r fath deimladau. Naomi oedd ei henw hi. Bob amser cinio fe'i gwelwn yn rhwygo darnau o'i gwallt i ffwrdd. Ryw ddiwrnod fe ofynnais iddi beth roedd hi'n ei wneud. Cydiodd mewn cudyn, ei osod ar gledr ei llaw, a'i ddal i fyny i ddatgelu miliynau o ffyrc bach gloyw. "Y cyfan sydd rhaid 'neud," meddai hi, "yw rhwygo un darn i ffwrdd a dyna ni, mae'r hollt yn diflannu." Gofynnais iddi beth oedd o'i le ar gael dau flaen. Dywedodd wrthyf am beidio â bod yn hurt. Dywedais wrthi nad oedd pawb yn ofni deuoliaeth. Dywedodd hithau fod fy ngwallt yn flêr, hyd yn oed heb flaenau hollt.

Doedd hi ddim yn ffrind.

Diferodd awr yn ei blaen; chwe deg munud yn drip-dripian dros y carped. Collodd Mrs Pitw ei hamynedd. "Mae hyn yn hollol, hollol chwerthinllyd," meddai, wrth i'w thresi fioled ymestyn eu crafangau. "Maen nhw 'di cael mis cyfan o rybudd – byddech chi'n meddwl bod hynny'n ddigon!"

Roedd yna bŵer yn nistawrwydd y dyn ifanc. Roeddwn yn ysu am wthio fy llaw i'w geg a rhwygo'r geiriau oddi ar ei dafod. Cyhoeddodd y nyrs fod y doctor wedi gorfod gadael y clinig; bod yna achos brys ynghanol y ddinas.

"Ond fydd e 'nôl cyn gynted â phosib felly dwi

ddim ishe gweld neb yn gadael," meddai, trwy ei gwên anesthetig. Taflodd Mrs Pitw ei chylchgrawn ar y llawr.

Mae trawsnewidiad yn rhan annatod o fywyd. Mae'n gyfrifol am y ffaith nad wyf i bellach yn sefyll yn rhes flaen y côr iau gyda chynffon merlen ar fy mhen a gwên eisteddfodol ar fy wyneb. Nac ychwaith yn crio ar risiau rhyw barti a'm gwallt yn glymau o ddagrau. Mae'r gwallt yn newid o hyd. Dim ond y croen sy'n parhau.

Mae si ar led fod gan wallt y pŵer i'w olchi ei hun. Gwyrthiol, medd rhai. Yn fy nhyb i, mae'r peth yn hollol resymol. Os caiff unrhyw beth ei esgeuluso am gyfnod o amser, fe fydd yn rhaid iddo ad-drefnu ei fodolaeth; fe fydd yn rhaid iddo amddiffyn ei hun. Does 'na ddim byd gwyrthiol, goruwchnaturiol, na gwefreiddiol am hynny.

Mae cyfrinachau yn bethau rhyfedd. Mae rhai yn eu storio yn eu calonnau, eraill o dan eu clustogau, ac ambell un yn eu gwisgo gyda balchder, yn eu brolio ar eu bysedd fel modrwyau aur. Er mai cyflwr ein gwallt oedd yr arwydd amlycaf, doedd dim byd yn dryloyw am ein cyfrinachau ni. Roedd fy un i wedi'i selio mewn bocs a'i hoelio i mewn. Tybiwn fod cyfrinach Mrs Pitw ychydig yn fwy syml. Rhywbeth y medrwn ei gipio o boced ei blows sidan petawn i'n ddigon cyflym. Roedd cyfrinach y dyn ifanc, ar y llaw arall, yn amhosib i'w dehongli.

O'r diwedd, agorodd ei geg. Ei enw oedd Owain. "Sigarét?" cynigiodd, gan edrych yn syth i'm llygaid. Derbyniais yn syth. Ochneidiodd Mrs Pitw, gan bwyntio bys cyhuddgar at yr arwydd 'Dim Ysmygu': darlun o blentyn yn cysgu mewn blwch llwch. Mae'r ddelwedd yn un ysgytwol sydd yn llwyddo i grynhoi pob dim ar unwaith. Gresyn na fyddai pobl yr un mor groyw.

Dywedodd Owain wrthyf am y tro y gollyngodd bram ei chwaer ar gopa rhiw serth. Gwyliodd ben melyn ei chwaer yn diflannu yn y gwynt a'r pram yn taro yn erbyn wal goncrid a hollti'r corun yn ddau. Nid ei fai e, wrth gwrs. Doedd dim gwallt ganddi ar y pryd; fe allai hwnnw fod wedi'i hamddiffyn. Dywedodd ei fod wedi gofyn i'w chwaer a oedd hi eisiau iddo ei gollwng a'i bod hithau wedi cytuno. Wrth gwrs, doedd e ddim yn berthnasol o gwbl mai dim ond chwe mis oed oedd hi ar y pryd – oed lle mae'r gair 'gollwng' mor ystyrlon â'r gair 'twrci'.

Cyflwynodd i mi rannau amherthnasol o'i fywyd ac roedd hynny'n ddigon. Doedd dim sôn am deimladau. Ond roedd 'na rywbeth eisoes yn corddi ynof i. Pan ddechreuodd Owain ddynwared Mrs Pitw, dychmygais sut deimlad fyddai cael fy nghusanu ganddo, yn angerddol ac yn ddi-baid, yn erbyn waliau'r clinig. Ymhen dim, breuddwydiais ein bod yn dewis celfi gyda'n gilydd mewn siop fawr olau, yn chwerthin yn ddistaw wrth fownsio i fyny ac i lawr ar hyd rhyw soffa wen.

"Dw i'n briod," meddai'n sydyn.

Am eiliad teimlwn yn hollol noeth, fel petai ei lygaid yn pefrio trwof.

"O. Ydy dy wraig di, ydy hi'n… iawn?" gofynnais, gan geisio swnio'n ddi-hid.

"Wel, dw i heb ei gweld hi ers dwy flynedd, ac yn dechnegol, dyw hi ddim yn bodoli mwyach."

"Priodas ddiddorol…"

"Mae pethe'n gymhleth."

"Sut 'ny?"

Syllodd arnaf yn hir ac yn ddwys. Roedd y gair 'dieithryn' yn sefyll rhyngom.

"Mae hi'n ddyn bellach," meddai, ac i mewn ag e trwy ddrysau'r clinig.

Rwyf wedi lliwio fy ngwallt sawl gwaith, a hynny mewn ymgais i fod yn 'wahanol'. Roedd y tro cyntaf ar gyfer carnifal y pentref. Trodd fy mwriad gwyn yn llanast du yn y bath. Y cyfan roedd ei angen oedd un edrychiad beirniadol oddi wrth fy mhrifathro ac roeddwn ar dân eisiau puro fy hun, am waredu'r staen erchyll a wnâi i mi edrych mor welw ac mor ddifywyd â'r lloer.

Ond mentrais am yr eildro. Lliwiais fy ngwallt yn goch, am fy mod yn siŵr y byddai'n gwneud i mi edrych yn hŷn. Fe wnaeth i mi edrych yn binc. Hyd yn oed pan oedd pob mymryn ohono wedi diflannu, roedd fy lliw euraid naturiol yn farwaidd, fel petai wedi cael ei siomi ynof.

Roedd Mrs Pitw ar ben ei digon. Gwelodd ei buddugoliaeth. Er fy mod wedi cael y cyfle na chafodd hi – i siarad ag Owain, i ddadmer ei swildod, ei fudandod – ro'n i wedi methu. Doedd dim i'n cysylltu mwyach; dim geiryn, dim edrychiad; roedd y cyfan rhyngom yn gelain.

"Braidd yn ddiflas, oedd e? Nid dy deip di, mae'n siŵr. Dim ots. Fedri di wastad siarad â fi."

Bodlonais fy hun gyda'r ffeithiau canlynol: fy mod yn gwybod degfed ran o stori Owain, saith deg pump y cant o'm stori fy hun, a'm bod hefyd yn hawlio traean o boblogaeth yr ystafell aros. Yr unig ffaith annymunol oedd bod Mrs Pitw wedi hawlio dros naw deg pump y cant o'r awyrgylch.

Bu mathemateg yn ddirgelwch i mi erioed.

Nwyddau trin gwallt. Siampŵ, serwm, chwistrell, meddalydd, cwyr, hufen, llyfnydd. Y cyfan oll. Gyda'u cymorth, gallaf newid y darlun. "Mae dy wallt di'n edrych yn neis," dyna ddywedodd un dyn wrthyf unwaith, gan fyseddu'r dafnau sidan rhwng ei fysedd cadarn. Yna, llais arall, rhywle yn y pellter, yn sibrwd trwy fy nghudynnau eurgain, a thywallt eu gwres ar ei groen noeth. Dyn arall oedd hwnnw.

Wêl neb y gwirionedd sy'n llechu y tu hwnt i fy ngwallt. Mae gen i'r ddawn i dwyllo sawl un fod ei gyflwr bob amser yn berffaith.

Un copa gwalltog maen nhw'n ei weld, nid y miloedd o wreiddiau anystywallt oddi tano.

"Reit, dw i 'di cael digon nawr, ydw wir. Ddylen ni ddim bod wedi gorfod aros cyhyd." Roedd ffroenau Mrs Pitw ar dân. Dawnsiodd aeliau anweledig Owain. Yr oeddem oll yn gytûn, am unwaith. Yn fwy tebyg nag yr oeddem ni'n tybio. Er enghraifft – ychydig funudau ynghynt, yr oedd Mrs Pitw wedi cyhoeddi ei bod hi'n hoff o rawnffrwyth. Dywedais wrthi mai dyna oedd fy hoff ffrwyth. Sibrydodd Owain fod yn dda ganddo gael grawnffrwyth i frecwast. Sylwais fod 'na gytundeb gwresog rhyngom a brofodd i mi nad yw pobl mor wahanol, nac mor anodd â hynny, wedi i chi ddod o hyd i'r man canol.

Ond roedd rhywbeth annifyr am ddistawrwydd Mrs Pitw

yn y pen draw. Yr oedd, rywsut, yn fwy o ymyrraeth na'i llais. Gwelais fod ei gwefus yn grynedig, fel petai rhywbeth yn symud yn ddistaw bach yng nghefn ei llwnc, yn gwyro trwy gnawd ei gwddf, yn cripian ei ffordd tua'r golau.

"Dw i wedi lladd pobl," meddai.

Yr oedd hi'n frawddeg mor chwithig ac mor ddiseremoni, doedd gen i ddim syniad sut i ymateb.

"Mae hynny'n... iawn," meddwn.

"Dw i'n caru 'ngŵr," sibrydodd. "Efallai mod i'n hen ffasiwn, ond dw i wir yn credu y dylai cariad rhwng gŵr a gwraig bara am byth."

Ysgydwodd Owain ei ben.

"Nawr, dyw dynion ddim yn gwbod beth ma nhw ishe. Digon teg. Ma eu llygaid nhw'n crwydro, ma nhw mo'yn cysgu gyda phobl eraill, ma nhw mo'yn cyffro, bla bla bla. Ond do'dd e ddim yn cysgu gyda *phobl eraill*, nag o'dd? Na, bydde hynny'n rhy ddiflas iddo fe. Oedd angen bach o sglein ar ei ferched e, on'd o'dd? Nawr, falle mai fel 'na ma pob dyn yn meddwl. Ond do'n i byth wedi dychmygu y bydde 'ngŵr i'n gallu 'neud y fath beth. Mynd ar gyfyl, ar gyfyl..."

Chwyddodd ei gwefus mewn dicter. Hyrddiodd Owain ei ddwylo o'i blaen, fel petai e'n disgwyl dal beth bynnag a guddiai yn ei cheg.

"Puteiniaid," poerodd. Glaniodd y gair yn gyflawn yng nghledr ei law.

"A dwedes i wrtho fe... fe ddwedes i, os wyt ti'n mynd i gysgu gyda phethe ffiaidd fel 'na, wel dwyt ti ddim gwell nag anifail. A ti'n gwybod beth ma nhw'n gwneud i anifeiliaid, on'd wyt ti? Pan fyddan nhw'n troi ar rywun, yn ildio i'w cyneddfau bas, fel 'na. On'd wyt ti?"

Ro'dd ei gwefusau glas wedi troi tuag ataf i.

"Eu lladd nhw," sibrydais.

"Yn union," meddai, fel petai'r trosedd yn ddim i'w wneud â hi.

"Felly, *wnaethoch* chi ladd eich gŵr?" gofynnodd Owain.

"Na. Wel, ddim yn union."

Syllodd Owain a minnau ar ein gilydd mewn penbleth.

"Nid ei ladd *e*. Eu lladd *nhw*!" chwarddodd. "Eu lladd *nhw*, wrth gwrs. Pam lai? Roedd e mor hawdd hefyd. Ma pobl yn disgwyl iddyn nhw gael eu lladd, rywsut."

Roedd yr ystafell yn troelli, a'r wynebau'n gymysg â'i gilydd.

"Sut?" gofynnodd Owain. Sylwais nad oedd gronyn o sensitifrwydd yn perthyn iddo.

"Gyda hwn." Pwyntiodd Mrs Pitw at ei gwallt. Syrthiodd gwawr fygythiol dros y fioled. "Nid y fi 'na'th. Fy ngwallt i."

"Eich gŵr," mentrais. "Beth ddigwyddodd iddo?"

Cododd ei llygaid.

"Ga'th e ei arestio wrth gwrs. Am ladd y puteiniaid. Ei fai e oedd y cyfan, ontefe? Mynd at *wraidd* y peth wnaethon nhw yn y pen draw."

Ers yn blentyn yr wyf wedi troelli dafnau o'm gwallt o amgylch bys bach fy llaw dde. Y mae'n rhywbeth greddfol, obsesiynol na fedraf ei reoli na'i ddofi. Ro'n i hefyd yn arfer sugno fy mynegfys a'm bys canol, yn yr oedran pan oedd y rhan fwyaf o'm ffrindiau yn sugno'u bodiau.

Rhyw ddiwrnod, sylweddolais nad oedd y nodwedd hon yn briodol i'r byd go iawn, ac felly roedd yn rhaid rhoi'r gorau iddi. Roedd y peth mor syml â hynny. Ond hyd heddiw, ni fyddaf yn gwrthod y demtasiwn i gydio mewn darnau bychain o'm gwallt a'u troi unwaith eto o gylch fy mys bach. Mae gan y weithred hon bŵer hudol sydd wedi fy lleddfu mewn sawl sefyllfa anodd. Fy seremoni raddio, y diwrnod iddo ofyn i mi ei briodi, y diwrnod i mi wynebu'r cwestiwn hwnnw am yr eildro. Mae'n rhywbeth na fedraf yn fy myw ei ddeall na'i ddehongli; y dynfa honno sy'n fy nwyn yn ôl at wraidd pethau, o hyd ac o hyd.

Fel petai'n eiddigeddus o'r sylw a gafodd Mrs Pitw, cychwynnodd Owain ar ei gyffes ei hun. Dywedodd mai rhan o'r broblem oedd nad oedd wedi synhwyro bod rhywbeth o'i le. Roedd gwên fras ar wyneb ei wraig wrth iddi dorri'r gacen briodas, ac roedd hi wedi ildio ei chorff iddo'r noson honno. Storiodd hi'r papur losin a oedd yn arwydd o'u cyfarfyddiad cyntaf, a'r cerdyn a wnaeth iddi ar ei phen-blwydd yn ddeunaw. Roedd ganddi amlen a oedd yn orlawn o wallt a gasglodd oddi ar ei glustog. Yr oedd pob dim yn dynodi ei bod wedi ymroi'n llwyr iddo.

Nid trawsnewidiad graddol mohono chwaith. Un diwrnod, gwelodd ei hadlewyrchiad mewn drych. Ynghanol ei hwyneb prydferth, main, synhwyrodd lygaid dyn. A dyna ni.

Doedd dim gronyn o fenyweidd-dra yn perthyn iddi mwyach. Bu'n rhaid i Owain oddef y ffaith bod ei wraig osgeiddig, Heledd, bellach yn ateb i'r enw Hywel, a chwyrlïodd ei hunanhyder i ffwrdd y diwrnod hwnnw, yn blu mân yn y gwynt.

Creadures ryfedd oedd fy mam-gu. Roedd rhywbeth annaturiol amdani. Roedd hi'n brolio i bawb fod gen i wallt fel angel, ac eto roedd hi'n ei gribo'n ffyrnig ac yn filain, hyd nes y tasgai dagrau o'm llygaid. Roedd hi'n rhedeg ei bysedd crychiog ar hyd ei drwch moethus ac yna'n mynnu fy mod yn ei dorri bob haf. Tra oedd hithau'n cael pyrm newydd sbon bob chwe mis. Er mai dim ond pymtheg tres oedd ganddi, a rheiny'n wyn.

Daeth amser rhyddhau fy nghyfrinach. Rhwygais yr hoelion o'r blwch, a thywallt aer ffres y dydd dros lwch fy meddwl. Ro'n i'n briod â dau ddyn. Roedd y naill wedi meddiannu fy nghalon a'r llall wedi meddiannu fy nghorff. Bûm yn rhedeg rhyngddynt ers blynyddoedd, gan newid fy meddwl mor ddi-hid â phâr o sanau. Roeddwn yn paratoi brecwast i Gwern, ac erbyn amser cinio roeddwn yn bwyta cinio gyda Medyr. Yn sicr doedd 'na ddim byd arwrol yn yr hyn yr oeddwn yn ei wneud, ond gan nad oedd neb fawr callach, ro'dd rhyw fath o synnwyr gwyrdroëdig yn perthyn i'r sefyllfa. Tan yr wythnos honno. Roedd y ddau wedi cyfarfod mewn cynhadledd. Roedden nhw wedi cyfnewid rhifau ffôn. Roedden nhw'n bwriadu cyfarfod am ginio, gyda'u gwragedd. Gyda'u gwraig. Dyna pryd y ffrwydrodd fy ngwallt.

"Anffodus ontefe?" ochneidiodd Mrs Pitw.

"Dylet ti fod wedi dewis rhyngddyn nhw cyn priodi," meddai Owain yn gras.

Roedd yna ddistawrwydd hir wrth i bum cant o fyfyrdodau forio yn yr aer.

"Wel, dw i'n mynd adre," dywedodd Mrs Pitw.

"A minnau," cadarnhaodd Owain, gan godi ar ei draed.

"Finnau hefyd," meddwn, er nad oeddwn i'n gwybod ystyr y gair mwyach.

Rheolaeth. Os caiff eich gwallt ddigon o ofal, fe fydd e'n barod i wneud unrhyw beth. Ei blethu, ei droelli, ei gyrlio, a'i glymu. Fe fydd yn feddal rhwng eich bysedd, yn llachar fel yr haul, yn ffrwd o nadredd bach gloyw, peryglus.

Wythnos yn ddiweddarach, derbyniais lythyr oddi wrth y clinig i gadarnhau bod fy nhriniaeth yn gyflawn. Y prynhawn arbennig hwnnw, roeddwn i, Mrs Pitw ac Owain wedi bod yn rhan o broses arbrofol a elwir yn 'therapi hunangyflyru'. Bwriad y weithred oedd cael ymadwaith dwys rhwng pobl yn hytrach na therapi 'ffurfiol'; ein bod, mewn gwirionedd, wedi gwella ein gilydd. Roedd 'na dri ohonom, wrth gwrs, i sicrhau trawstoriad eang o gymeriad, statws, ac oedran. Roedd y broses yn llwyddiant ysgubol, yn newyddion arloesol, yn ddigwyddiad hanesyddol.

Roeddem wedi talu £1,243.50 am y fraint hon.

Ond doedd dim angen ceiniog ar Mrs Pitw yn ei chartref newydd. Cafodd ei harestio bron yn syth wedi'r digwyddiad. O flaen y camerâu roedd hi'n annymunol, yn haerllug, ac yn sarhaus, ac eto i gyd roedd ei hwyneb yn annwyl i mi, a'i llais yn donfedd swynol ac yn ddof ar fy nghlyw.

Roedd 'na nifer o resymau pam na chefais fy arestio am fy nhrosedd. Yn gyntaf, am fod Gwern a Medyr yn rheolwyr-gyfarwyddwyr dylanwadol a oedd yn awyddus i guddio'r newydd rhag sylw'r cyhoedd. Yn ail, oherwydd eu bod wedi anghofio datgelu un gyfrinach fach – roedden nhw'n gariadon. Roeddwn i wedi lluosi fy myd tu hwnt i bob synnwyr a hwythau wedi'i rannu'n ôl yn daclus i'r unig rif sy'n gwneud synnwyr: dau.

Derbyniodd Owain sawl llythyr oddi wrth ei wraig y flwyddyn honno – un ar ddeg i fod yn fanwl gywir. Bob tro y gwelwn un ohonynt yn amneidio ei ben gwyn trwy'r blwch post, roedd yn rhaid i mi sbecian arno, cyn ei selio eto a'i osod ar fwrdd y gegin i Owain ei agor pan ddeuai i lawr. Mae e'n cysgu mor drwm bellach, a'i gorun yn dechrau adfer ei hun yn nosweithiol, fel petai 'na rywun wedi plannu hadau ar hyd lawnt ei ben. Llythyron dwl oedden nhw, yn dechrau gyda 'F'annwyl Owain' ac yn llifo'n llawn ymddiheuriadau. Yr oedd yntau/hithau yn mynegi nad oedd ei benderfyniad/phenderfyniad yn ddim i'w wneud ag e; ei fod yn ddyn hyfryd, tyner a fyddai'n sicr o fwynhau ei fywyd hebddo/hebddi. Nid ysgrifennodd yr un llythyr yn ôl, hyd y gwn i.

Ar y sgrin, roedd gwallt Mrs Pitw yn gymeriad ynddo'i hun. Roedd y cyrliau anhrefnus bellach yn chwyrlïo fel rhubanau sidan, a'r fioled yn pefrio gydag egni newydd. Dyma oedd ei chadernid, ei nodwedd fwyaf poblogaidd. Ychydig ddiwrnodau yn ôl, fe glywais ferch ifanc mewn siop wallt yn gofyn am 'wallt Mrs Pitw'.

Y mae fy ngwallt i mor arfog ag erioed. Mae ganddo'r pŵer i oresgyn gwledydd, i reoli'r byd. Ond ym mysedd Owain, mae e'n meddalu, weithiau, ac yn agor fel llenni taclus.

Y mae gan wallt fil o leisiau. Nid ofn sy'n gwthio'r gwraidd trwy'r croen, nid nwyd chwaith, ond yr ysfa reddfol i gael ei aredig, ei gynnal, a'i glywed. Gallwch ei ddifetha, ei gosbi, ei hyfforddi fel mwnci, a'i ddofi fel llew. Ond fedrwch chi fyth ei gysgodi rhag golau dydd, oherwydd fe fydd yn teimlo'r gwres, dro ar ôl tro. A dwi'n dechrau deall nad oes modd rhifo'r blew ar ben unrhyw un ohonom. Ei ogoniant mawr yw ei anrhifogrwydd, ei ddireidi dirifedi.

Heddiw, mae fy ngwallt wedi'i blethu. Gwelaf ddechreuad rhyw rimyn aur ar dalcen Owain. Mae Mrs Pitw yn hyrwyddo siampŵ ar sianel ddigidol.

Does dim blewyn o'i le.

Cath heb Glustiau

I know the slits in your eyes
are not to be peeped
through; evidence rather
that you can find your way
through the thick of the darkness
that all too often manages
to invest my heart.

'Siân', R S Thomas

CAFODD Y GATH ei chludo at y teulu mewn bocs, yn ystod cawod o law. Pridd y caeau yn nhyllau triongl ei chlustiau, a'i llygaid yn sbecian dros orwel cardbord. Heb wybod mai dyma ddechrau'r diwedd; mai dod yma atynt i fyw ac i farw oedd hi.

Ond nid ar ei phen ei hun y daeth. Roedd ei brawd – hwnnw'n fwy sinsir na gwyn, a hithau'n fwy gwyn na sinsir – wrth ei hymyl, y ddau ohonyn nhw'n crynu yn y gofod brown, simsan, heb ddeall ei ddyfnderoedd. Heb ddeall lle yn y byd aeth y lleill i gyd. Gan wybod bod un ar ddeg ohonyn nhw, un wrth un, wedi cael eu hyrddio allan o ofod cyfyng y groth, a nawr, rywsut, eu bod nhw ymhell o'r realiti hwnnw, yn edrych ar ddau wyneb newydd, di-flew, rhosog, o'u blaen, a dau wyneb mwy y tu ôl iddyn nhw, yn hofran yn yr aer.

Dylyfodd ei gên a throi ei chefn ar y teulu. Dyma

ddechrau ei theyrnasiad. Dangosodd ei phŵer, dangosodd na fyddai'n ildio'n hawdd i neb. Ond parhaodd ei brawd i syllu arnyn nhw; dyna oedd ei gamgymeriad cyntaf.

"Dwi am ei galw hi'n Chiz ar ôl Huw Chiswell, er mai benyw yw hi," meddai'r ferch, gan gydio yn y gath fel na wnaeth neb ond ei mam o'r blaen, gerfydd croen elastig ei gwddf, a'i chymryd i'w hystafell wely. "A geith dy gath di fod yn Huw, gan mai bachgen yw e," gwaeddodd yn ôl ar ei brawd, hwnnw'n gegagored, yn ofni cyffwrdd yn yr anifail o'i flaen. Doedd e ddim yn siŵr a oedd e'n hoffi cathod. Terapin oedd e wedi gofyn amdano ar ei restr Nadolig. Ymestynnodd ei fys bach i geg y gath, a theimlo'r dannedd main yn ei gnoi'n ysgafn. Ond doedd hynny ddim yn ddigon, rywsut, i greu cysylltiad. Gwyddai fod angen offrwm o ryw fath i ddechrau'r berthynas. Tynnodd fflwcsyn o gaws o'i wallt a'i gynnig i'r gath; roedd y fflwcsyn hwnnw wedi bod yn llechu yno ers i'w chwaer daflu gwaywffon caws a phinafal ato bnawn ddoe.

Edrychodd y ddau riant ar ei gilydd yn gariadus, llygaid y naill yn dweud wrth y llall: "Eu cathod bach cyntaf nhw; byddwn ni'n cofio hyn."

Roedd hi'n ddiwrnod braf o haf pan yrrodd y fam dros Huw. Yr oedd hwnnw'n cysgu'n ddistaw, yn gwbl ddiarwybod, ar olwyn gefn y car mawr du – ei ail gamgymeriad, a'r olaf – ac er i'r wraig edrych yn ddefodol yn ei drych chwith, a'i drych dde, a thros ei dwy ysgwydd, doedd dim un ongl a fedrai gyfleu gwirionedd y sefyllfa iddi. Rhoddodd y digwyddiad daw ar gred y tad, sef *nad oes 'na'r fath beth â man dall wrth yrru car* – roedd Huw, druan, wedi talu'r pris am ddallineb cyffredin bodau dynol.

Yr unig un a welodd ddiflaniad Huw o'r byd oedd Chiz, a hynny trwy ddrysau'r patio, a'i phawen wen ar wydr. Ymennydd ei brawd bach yn gyrbibion ar gerrig.

"Ond beth ddyweda i wrth y plant?" gofynnodd y wraig i'w gŵr, a'i siwmper yn flew ac yn waed i gyd. Un groendenau oedd y wraig, ei chnawd fel papur lafant.

Yr eiliad honno fe redodd Chiz i mewn trwy ddrws y pantri a stopio'n stond wrth weld gweddillion ei brawd yn gwenu'n borffor arni trwy fag plastig.

"Weda i wrthyn nhw," meddai'r gŵr, gan gamu o'r tywyllwch llychlyd allan i'r heulwen. Aros am y fan hufen iâ oedd y plant, yn eistedd ar darmac poeth plasdy Llysywern, yn dadlau dros bapur pumpunt. Weithiau fe fyddai meistr y plas yn dweud wrthyn nhw am symud o'na am eu bod nhw'n 'anharddu'r plas'. Penderfynodd y tad aros yr ochr draw i'r heol. Doedd e ddim eisiau dadl arall gyda meistr y plas. Y tro diwethaf bu'n rhaid galw'r heddwas lleol i setlo'r mater, ac awgrymodd y dylid rhannu'r pentref yn ddau; ei hanner i'r plant, yr hanner arall i oedolion.

"Blant," meddai, a'i eirie'n llipa yng ngwres y prynhawn. "Allwch chi ddod i mewn i'r tŷ, plis? Mae gen i rywbeth i'w ddweud wrthoch chi."

"Ond dwi ishe lolipop seidr. Ma'n rhaid i fi ga'l un, neu bydda i'n sychedig trwy'r prynhawn," meddai'r ferch yn bwdlyd. "Ac mae e'n mynd i gael Cornetto mefus, a'i rannu fe gyda fi, achos mae gen i chwant rhywbeth melys hefyd."

Amneidiodd ei brawd ei ben mewn cytundeb ofnus.

"Iawn, te... wel, dewch i'r tŷ wedi i chi eu cael nhw."

Wrth gerdded 'nôl i fyny'r llwybr clywodd dôn felys y fan hufen iâ yn seinio ei nodau siwgwrllyd. Cymerodd y gŵr y bwndel porffor oddi ar ei wraig ac aeth i dop yr ardd i'w gladdu. Cytunodd y wraig y dywedai hi wrth y plant, wedi'r cyfan.

Wedi iddo'i gladdu, gyda Chiz wrth ei ymyl yn cynnig yr offeren olaf, fe ddychwelodd i dŷ llawn dagrau. Roedd ei wraig, ei ferch a'i fab yn udo yn y pantri.

"Damwain oedd hi," meddai'n ysgafn.

"Oedd beth?" meddai'r ferch, a'r rhaeadrau'n dod i sydyn-stop.

"Oedd... beth ddigwyddodd," meddai'r gŵr.

"Pam, oes 'na rywbeth wedi digwydd? Ydy Mam-gu wedi marw?" meddai hithau, gan godi ar ei thraed. Roedd y lolipop seidr yn dal yn ei becyn gwyrdd yn ei llaw, a hyd yn oed hwnnw wedi dechrau llefain, gan ddiferu'n araf dros y carped.

"Pam wyt ti'n llefen?" gofynnodd y tad yn dyner i'w fab, a hwnnw'n belen gron wrth ei draed.

"So i'n gwbod," meddai, rhwng ebychiadau poenus. "Dwi'n llefen am ei bod hi'n llefen," meddai, gan bwyntio at ei chwaer.

"A dwi'n llefen am ei bod hi'n llefen," meddai'r ferch, gan bwyntio at ei mam.

Ac yng nghornel yr ystafell roedd y fam ddieiriau'n igian crio, a Chiz yn ei chôl, yn canu grwndi.

Mewn llai na phythefnos, felly, roedd un o'r cathod wedi mynd, a Chiz druan wedi'i chreithio am byth gan ei chefndir trasig. Nid yn unig hynny, ond fe drodd hi'n frwydr dros bwy, nawr, oedd biau'r gath, gan mai dim ond un ohonyn nhw oedd ar ôl. Gan i'r ferch benderfynu mai ei 'chath hi' oedd yr un gafodd ei hachub, doedd hi 'mond yn barod i adael i'w brawd bach ei gweld bob hyn a hyn. Bob nos Fawrth, byddai'n cael ei gweld am ddwy awr, ac fe fyddai'n mynd â hi i'w ystafell binc (mynnodd y chwaer nad oedd hi'n hoffi'r ystafell honno wedi iddi ei phaentio, felly bu'n rhaid iddo yntau ei chymryd yn ei lle) iddi gael cwrdd â gweddill ei ffrindiau, sef y ddau derapin newydd, Pavarotti a Domingo, a'r bochdew – Dawns y Glocsen. Doedd Chiz yn amlwg ddim yn or-hoff o arogl y tanc terapin. Eisteddai islaw'r tanc yn crychu ei thrwyn, yn gwylio'r ddau gysgod yn hwylio yn ôl ac ymlaen yn y dŵr.

"Stwffia di," meddai Pavarotti wrthi.

"Nessun Dorma," ategodd Domingo.

Ond roedd hi'n llygaid i gyd wrth weld Dawns y Glocsen ar ei thaith frysiog drwy'r caets melyn tryloyw – fyny, rownd ac yn ôl, fyny, rownd ac yn ôl.

Ond un diwrnod, sylweddolodd y brawd bach nad oedd wedi clywed smic o gaets Dawns y Glocsen ers rhai dyddiau. Yn betrus, agorodd y cawell, a thwrio ymhlith y blawd llif a'r gwlân cotwm nes canfod Dawns y Glocsen ar ei chefn mewn tiwb gwydr, wedi tagu ar gneuen. Fe ddeliodd y brawd bach â'r farwolaeth yn ei ffordd ddihafal ei hun. Gwnaeth bost-mortem yn gyntaf, yn yr ardd gefn, er mwyn cadarnhau mai tagu a wnaethai Dawns y Glocsen, ac nad oedd arwyddion o gam-chwarae, fel yr awgrymodd ei chwaer. "Ble oedd Chiz pan dagodd hi? Dyna sy'n rhaid i ti ofyn i dy hun."

Bodlonodd yntau fod Dawns y Glocsen wedi marw o achosion naturiol. Doedd a wnelo'r gneuen ddim â'r peth mewn gwirionedd, catalydd ydoedd – roedd gan Ddawns y Glocsen galon wan. Rhoddodd y brawd bach wybod i Chiz ei bod hi'n rhydd i fynd, a diolchodd iddi am gynorthwyo gyda'r ymholiadau. Cynhaliodd angladd ym mhen draw'r ardd. Ystyriodd wahodd Pavarotti a Domingo, ond roedd e'n ofni eu colli yn y glaswellt hir.

Fe ddaeth Chiz, wrth gwrs.

"Gadewch i ni weddïo," meddai'r ficer chwe blwydd oed wrth lan y bedd, ac fe blygodd y gath ei phen mewn gweddi daer.

Yn raddol, fe ddechreuodd ei chwaer golli diddordeb yn y gath. Wedi iddi droi'n un ar bymtheg, roedd 'na bethau mwy cyffrous – megis bechgyn mewn ceir coch, a oedd yn gyrru y ffordd anghywir ar hyd y lonydd un-ffordd – i ddenu ei sylw. Dechreuodd bachgen o'r enw Jarvis ddod i'r tŷ. Fe fyddai yntau a'r ferch yn diflannu i'w llofft yn yr atig am oriau bwygilydd, ac weithiau fe fyddai Chiz yn eistedd ar sil y ffenest, yn gwylio'r cyfan. Unwaith, gwelodd Jarvis yn hongian wyneb i waered oddi ar y trawstiau. Ac yna, wrth i'r gwaed lifo i'w ben ac i'w wyneb droi'n borffor fe waeddodd: "Cusana fi! Dwi wastad wedi bod eisiau cusanu rhywun wyneb i waered!" Ac fe ruthrodd y ferch i'w gusanu, am ei bod mor ddiolchgar am y gwahoddiad. Roedd Chiz yn gwybod, o'r hyn a welsai ar y stryd fin nos, na fyddai Jarvis byth yn ei chyffwrdd yng ngŵydd ei ffrindiau. Yr oedd cusanau, mewn gwirionedd, yn bethau prin rhwng y ddau. Nid ei chusanu yr hoffai ei wneud fel arfer.

Doedd Jarvis ddim yn or-hoff o gathod. "Dwi erioed wedi gweld cath mor salw," arthiodd ar Chiz unwaith, pan oedd y ferch wrthi'n gwneud ei cholur yn yr ystafell molchi.

Yn y pen draw, diolch i'r drefn, cafodd y ferch ddigon ar gusanu ben i waered a'r pethau aflednais eraill nad oedd hi'n rhy hoff ohonyn nhw, a chymerodd ei chalon yn ôl oddi wrtho a'i rhoi i Rhydderch, bachgen o'r ysgol.

Fe ddechreuodd Rhydderch ddod i'r tŷ ar yr union adeg y dechreuodd Chiz fynd ar goll. Y fam fyddai'r un olaf ar ei thraed bob amser, ac weithiau byddai'n treulio oriau bwygilydd yn gweiddi amdani. Yn clochdar, "Chiz, Chiz, Chiz, Chiz!" nes deffro'r stryd i gyd. A heb yn wybod i neb, fe fyddai Chiz yn cuddio o dan wely'r ferch mewn cuddfan gynnes, glyd, yn bwyta darnau o'i dyddiadur, a oedd yn llawn myfyrdodau penchwiban, ac yn gwrando ar y synau dyrys uwch ei phen. Sŵn sip Rhydderch yn agor, a sŵn belt yn nadreddu i'r llawr. Sŵn yr eneth landeg yn ebychu'n rhyfedd, a sŵn rhochian yn dod o enau Rhydderch.

Ar ei ben-blwydd yn bedair ar ddeg, fe ofynnodd y brawd bach am goler gron. Bellach, cynhaliai gyrddau gweddi yn ei ystafell wely, gan ymarfer ar Chiz, ei gynulleidfa un-ddynes ufudd, astud. "Fe welwch chi, Mrs Chiswell," (roedd yn rhaid galw'r wraig wrth ei theitl parchus) "ein bod ni ar drothwy cyfnod newydd mewn hanes. Cyfnod y peiriant. Fe welsom eisoes newid byd gyda dyfodiad peiriannau megis y peiriant golchi, ac y mae 'na rai eisoes wedi colli'u bywydau trwy'r fath ddyfeisiadau. Mae'n rhaid i ni ochel rhag gadael i'r peiriant mawr gael mynediad i'n bywydau – *gochelwch y pechod cyntaf, oblegid y mae lleng yn dynn wrth ei sawdl.*" Nodiodd Chiz ei phen mwy gwyn na sinsir yn ddoeth, wrth baratoi i gymryd cymundeb.

"Cymer y crwstyn hwn yn arwydd o fy nhewdra," meddai'r bachgen, gan ollwng briwsionyn wrth droed Mrs Chiswell. Bwytaodd Mrs Chiswell ei thamaid yn awchus. Ymestynnodd y brawd am y soser wen a thywallt hylif coch i mewn iddi. Methodd ddod o hyd i win cymundeb go iawn, ond roedd wedi ffeindio potel o rywbeth cochlyd o'r enw *Campari* yng nghefn cwpwrdd ei rieni.

"Ac yfa'r gwin hwn sy'n llifo yn fy ngwaed," meddai, gan gymryd llowc o'r botel ei hun. Roedd blas ffiaidd arno. Crychodd Mrs Chiswell ei thrwyn wrth rimyn y soser.

"Os nad ydych yn yfed y gwin, Mrs Chiswell, mi fydd yn rhaid i mi gwestiynu eich ffydd," dywedodd y ficer bach. "Yfwch, Mrs Chiswell."

Gwthiodd y gath ei thafod bychan yn betrus i'r dyfroedd coch.

Un diwrnod, sylweddolodd Chiz nad hyhi oedd yr unig gath yn y tŷ wedi'r cyfan. Dros y blynyddoedd, bu'r teulu'n hel pob math o gerfluniau o gathod, ac roedd y rheiny'n dechrau poblogi'r tŷ yn llwyr. Fedrech chi ddim troi cornel heb i ryw gath wenu arnoch chi o'i gwead marwaidd. Ar dop y grisiau roedd 'na gath mwydion papur yn eistedd mewn pot blodau glas, a'i phawennau du a gwyn yn diferu dros yr ochr. Ac roedd hi'n gwenu, er bod Chiz yn gwybod yn iawn na fedrai'r un gath wenu go iawn – doedd hynny ddim yn eu natur nhw. Wrth droed y tŷ bach roedd 'na gath afluniaidd wedi'i chreu o gast concrid, a phatrymau coch, cyrliog ar ei hyd, yn syllu'n filain ar yr hwn a feiddiai aros yn y tŷ ychydig bach yn rhy hir. Roedd hyd yn oed tŷ y fam-gu (bu yno unwaith ar ddydd Nadolig) yn llawn o ryw gathod bach porslen, di-lygad ar y silff ben tân, ac un gath felfedaidd ryfedd dan gaead gwydr yn yr ystafell wely, a honno'n gwarchod potel bersawr enfawr rhwng ei phawennau main. Roedd hi fel petai'r teulu oll yn teimlo rheidrwydd i fod yn agos at gath – neu ryw ffurf ar gath – lle bynnag oedden nhw. Efallai nad oedd modd iddyn nhw deimlo'n ddiogel heb weld y blewiach cysurus, y llygaid dof. Ond roedd hi'n amlwg nad oedd cath *go iawn* yn ddigon iddyn nhw rywsut. Pan ddychwelodd y tad o drip busnes i'r Aifft, fe adawodd ei ddillad i gyd ar ôl er mwyn gallu cludo cerflun efydd o dduwies y cathod, Bastet, yn ei gês.

"Yn yr hen Aifft, roedd cathod yn gwarchod teuluoedd; roedden nhw gallu lladd nadroedd a llygod mawr," meddai'r tad yn frolgar, wrth bolisio pen Bastet nes ei fod yn disgleirio.

"A ma'n Chiz ni'n ofni sioncyn y gwair," meddai'r ferch yn sbeitlyd, gan rythu ar y gath ym mhen draw'r ardd. Ymestynnodd Chiz ar ei hyd, yn fwa gwyn yn y glesni.

"Heddychwraig yw hi, dyna i gyd," mynnodd y brawd. "Yr wyf yn gadael i chwi dangnefedd; yr wyf yn rhoi i chwi fy nhangnefedd i fy hun. Nid fel y mae'r byd yn rhoi yr wyf fi'n rhoi i chwi."

Yr eiliad honno, rhedodd Chiz atynt â rhywbeth blewog yn ei cheg.

"Mae hi wedi dal rhywbeth!" meddai'r ferch yn foddhaus.

Ond wrth dynnu'r blew o'i cheg, fe ddaeth yn amlwg mai cynffon ffug oedd ynddi – anrheg Nadolig oddi wrth y tad, cynffon gwenci yn sownd wrth belen liwgar. Roeddech chi'n weindio'r bêl i fyny ac yna fe fyddai'n symud o gwmpas ar ei phen ei hun – gwenci heb gorff, wedi'i chreu'n arbennig er mwyn cynhyrfu cathod. Chwarddodd y tad, gan gofio iddo gael galwad ffôn ynghanol cyfarfod busnes pwysig – a hynny ar uchelseinydd o gwmpas bwrdd poblog – i ddweud wrtho:

"Mr Llewelyn, ry'n ni'n ffonio i ddweud wrthoch chi fod eich cynffon gwenci wedi dod i mewn." Cofiodd i'w bartner busnes losgi ei dafod ar ei goffi.

Cydiodd y ferch yn y belen liwgar a thaflu'r gynffon dros ben y clawdd.

"Cer i ffeindio gwenci go iawn!" mynnodd.

Gwyliodd Chiz y belen liwgar yn esgyn i'r entrychion, fel balŵn.

Fe aeth y ferch i'r coleg (i astudio celfyddyd gain, er nad oedd 'na ddim byd yn gain amdani, meddyliai ei brawd), ac fe aeth Chiz ar goll unwaith eto. Ffoniodd y ferch i ddweud ei bod wedi dod o hyd iddi yn ei chist coleg, ac fe fu'n rhaid mynd ar siwrne i Gaerhirfryn i ddod â'r gath yn ôl.

"Lwcus bod hi heb fogi," meddai'i brawd, tra rhythai ei chwaer arno.

"Allen i ei mogi hi nawr! Mae hi wedi pisho dros *feather boa* porffor fi!" Mewn dau fis fe fyddai un o ffrindiau'r ferch yn cymryd ffansi at y bwa porffor ac yn cynnig ei gyfnewid am ei un pinc hi, ac ni fyddai'r ferch yn dweud gair am y ffaith i'w chath bisho drosto, dim ond cymryd golwg slei arni hi ei hun mewn drych ym mhen pella'r ystafell.

Ac fe ddaeth y peiriannau, fesul un, a chanfyddodd y brawd fod ganddo ddiddordeb mawr yn y rheiny, wedi'r cyfan. Er yr arhosai Mrs Chiswell amdano'n amyneddgar yn y llecyn hwnnw o'r ardd a gawsai ei droi'n bulpud dros dro, yn aros i'r gwasanaeth ddechrau, yn aml doedd 'na ddim golwg o'r brawd bach. Dyna lle roedd y goler gron yn hongian oddi ar frigyn y goeden afalau, yn ei gwawdio, tra deuai synau rhyfedd o gyfrifiadur y bachgen, sŵn fel ceir yn sgrialu, neu bobl yn saethu ei gilydd. Weithiau fyddai 'na ddim golwg ohono am ddyddiau, a phan fyddai'n dod allan o'i ystafell roedd ei wyneb yn llwydaidd a'i lais yn isel. Fe fyddai'n gofyn i'w fam am frechdan, ac yna'n diflannu i'w ystafell drachefn. Weithiau, dim ond weithiau, fe fyddai'n troi ei olygon trwy'r ffenest fechan ac allan i'r ardd, ac yn dod lygad yn llygad â Chiz. Fe fyddai 'na ryw euogrwydd yn dawnsio yn ei lygaid. Ond roedd y peiriant – fel yr oedd y bachgen ei hun wedi darogan – yn rym llawer cryfach nag euogrwydd. Yn fwy nag ef ei hun. Yn fwy na'r haul a ddisgleiriai arno trwy'r ffenest agored. Ac yn ôl ag ef drachefn i'w ogof dywyll, y frechdan lipa yn ei law, i ildio ei enaid i'r peiriant.

Erbyn y Nadolig hwnnw, teimlai'r gath ei bod bron yn anweledig i'w pherchnogion. Erbyn hyn roedd y brawd bach wedi rhoi'r gorau i'w ddelfrydau diwinyddol yn llwyr ac wedi dechrau ar gwrs busnes mewn coleg trydyddol. Roedd y ferch – wedi iddi raddio gan ennill ail ddosbarth mewn celfyddyd gain – wedi dechrau gweithio mewn siop elusen, er y byddai'r fam, pan fyddai pobl yn gofyn, yn dweud bod ei merch yn gweithio ar ei harddangosfa gyntaf. Ar eu hymweliadau prin â'r cartref, fe fyddai'r brawd a'r chwaer yn rhyw hanner mwytho'r gath wrth wneud pethau eraill – fel gwylio'r newyddion neu fodio trwy gylchgrawn. Syllodd Chiz yn ôl ar y ddau oedolyn newydd, gan chwilio am ryw arwydd o'r plentyn yn eu llygaid chwilfrydig. Ond doedd 'na ddim gronyn o'r gwyleidd-dra, na'r addfwynder, ar ôl. Nid elusen na busnes oedd cath, wedi'r cyfan – beth oedd ei phwrpas hi, felly?

Teimlodd rhyw wendid ym mêr ei hesgyrn, trodd ei chefn, ac aeth allan i'r ardd i chwilio am grefydd newydd.

Trodd Chiz, felly, yn ôl at yr unig ffrind a fu ganddi erioed, mewn gwirionedd, sef yr haul. Eisteddai'n dalp blewog oddi tano trwy'r dydd, yn ymolchi yn ei belydrau, ei thrwyn bach yn gwyro tuag at y golau mawr, ei llygaid ynghau mewn gweddi dawel. A feddyliodd unrhyw un o'r teulu, o'r holl bethau niweidiol a oedd wedi cael mynediad i'w bywydau – y peiriant, celfyddyd, crefydd – mai'r haul mawr ei hun fyddai'r peth mwyaf niweidiol oll? I Chiz, druan, o leiaf.

"Mae gen i newyddion drwg, ma arna i ofn," meddai'r milfeddyg, un bore.

Y tad fu'n gyfrifol am gludo'r gath i'r filfeddygfa y bore hwnnw – roedd y mab a'r ferch bellach wedi symud i ffwrdd, a neb yn cymryd fawr o sylw o'r belen flewog wen a grwydrai'r tŷ. Roedd y brawd bach wedi cael swydd gyda chwmni o fferyllwyr, yn dosbarthu rhwymynnau i fferyllfeydd ar draws y wlad, ond pan fyddai rhywrai yn gofyn i'r fam beth oedd swydd y mab fe fyddai hi'n dweud ei fod yn llawfeddyg mewn ysbyty.

Y gath bellach oedd tin y nyth, ac fe frawychwyd y

tad un bore wrth weld y briwiau coch ar glustiau eu cyw melyn olaf. Doedd hi ddim eisiau mynd allan i'r haul, fel y gwnâi bob dydd, trwy'r dydd, ac roedd e wedi 'laru arni'n eistedd yno'n syllu arno, felly fe aeth â hi at y milfeddyg.

"Mi fydd rhaid i ni dynnu ei chlustiau," meddai'r milfeddyg. "Mae 'na afiechyd haul ar y croen. Rhaid torri ei chlustiau i ffwrdd neu fe fydd y clefyd yn lledaenu."

"On'd yw hi ddim yn well ei rhoi hi lawr?" meddai.

"Mae'n dibynnu, Mr Llewelyn," meddai'r milfeddyg. "Beth fyddai'n well ganddoch chi? Byw heb glustiau, neu beidio â byw o gwbl? 'Dyn ni ddim yn sôn am golli clyw fan hyn – bydd hi'n dal yn gallu clywed. Jest, bydd hi heb ei chlustiau. Bydd hi'n edrych, ychydig yn... wahanol, dyna i gyd."

Syllodd y tad ar ei adlewyrchiad ei hun ym mhen draw'r ystafell. Roedd e'n ymwybodol fod ei glustiau yntau rywfaint yn fwy na'r rhelyw, yn pwyso allan o ochr ei ben fel dwy gragen enfawr. Ond clustiau nobl oedden nhw yn ôl ei wraig; fyddai e ddim yr un un hebddyn nhw. Estynnodd ei ddwylo at ei glustiau a'u gorchuddio. Beth oedd pen heb glustiau? Dim ond cyfres o nodweddion – edrychai'n anghyflawn rywsut. Ac i gath, onid oedd y pegynau gwynion hynny'n rhan o'i hunaniaeth? Onid oedd pob un darn o gelf wedi'i ysbrydoli gan gath yn cynnwys y trionglau hyn, yn eu pwysleisio, yn creu nodwedd firain allan ohonyn nhw? Onid dyma oedd yn gwneud cathod mor wahanol i bob creadur arall?

"Mr Llewelyn," meddai'r milfeddyg yn ddiamynedd. "Mae'n rhaid i ni wneud penderfyniad. Sdim trwy'r dydd gyda fi. Ma 'na gathod eraill yn aros eu tro."

Trodd Mr Llewelyn ei ben tua'r ystafell aros. Yn

wahanol i feddygfa go iawn, roedd ffenest wydr rhwng y cleifion a'r milfeddyg, fel y gallai pawb yn yr ystafell aros edrych ar yr hyn a oedd yn digwydd y tu mewn i'r ystafell – fel pe na bai angen preifatrwydd o fath yn y byd ar unrhyw anifail. Gwelodd res o gathod blin yn eistedd ar gôl eu perchnogion, a'r rheiny'n ei siarsio i wneud penderfyniad.

Syllodd y tad drachefn arno'i hun yn y drych. Nid colli clyw, wedi'r cyfan, fyddai hi'n wneud. Colli clustiau. Ac efallai y byddai hynny'n gwneud i'r plant, a oedd wedi'i hesgeuluso dros y blynyddoedd, ei gwerthfawrogi'n fwy, pwy a ŵyr? Edrychodd Chiz i fyny ato, yn gwybod bod ei ffawd yn ei ddwylo mawrion, ac yn ei glustiau mwy fyth.

"Mae bywyd i'w drysori," meddai'n bendant. "Torrwch ei chlustiau i ffwrdd. Mi ddof i'w 'nôl hi bore fory."

Ac felly y bu. Pan ddychwelodd y tad y bore wedyn dyna lle'r oedd Chiz, yn eistedd ar fwrdd y milfeddyg, a'i chlustiau wedi eu dileu'n llwyr. Roedd pwythau cochion ar hyd y rhimyn lle bu'r clustiau. Nawr, roedd hi'n edrych fel darn o gelf, meddyliodd, ond yn fwy na hynny – heb glustiau, roedd hi'n edrych yn fwyfwy fel person. Roedd rhywbeth cyfarwydd, cyffredin rhyngddynt bellach, fel petai'r gath wedi deall cyfrinachau bod dynol, a'r dirgelwch wedi'i ddatgloi. Yn sydyn iawn, teimlai'r tad mai darn o'i gorff ef ei hun oedd wedi'i dynnu i ffwrdd.

Y peth rhyfeddaf oedd y canu grwndi. Doedd hi ddim wedi canu grwndi fel 'na ers pan oedd hi'n gath fach.

"Mae fel se hi'n hapus, o'r diwedd," meddai wrth y milfeddyg.

"Does 'na ddim syndod. Roedd 'na bridd yn ddwfn yn ei chlustiau hi a oedd yn dyddio 'nôl rhyw ddeng mlynedd. Wedwn i ei bod hi wedi bod yn trio cael gwared o'r pridd 'na ers amser maith. A diolch i'r driniaeth, mae hi wedi cael gwared arno bellach."

Pridd y caeau. Pridd y clos ffarm lle y'i ganwyd hi. Yr un pridd yr oedd wedi'i weld yn tasgu allan o glustiau ei brawd bach, Huw, pan gladdwyd hwnnw, yr holl flynyddoedd yn ôl. Y pridd cythreulig wedi diflannu o'r diwedd a'i hwyneb onglog bellach yn grwn, yn gyfarwydd.

Hudodd hi 'nôl i'w chaets a'i chludo adref, gan deimlo dirgryniadau ei hapusrwydd trwy'r bocs, yn araf dreiddio i mewn iddo yntau.

Pwdin

ROEDD Y GWRES yn annioddefol yr haf hwnnw. Yn gorlifo ei ffordd trwy goridorau'r tŷ, yn driogl trwchus o gylch ein traed. Doedd fawr o bwrpas gwisgo dillad, dyna a gredai Clive beth bynnag, ac yntau'n flew i gyd yn y tes. Roedd hi'n gwta fis ers i ni symud i mewn, a Clive yn dweud bod ein noethni'n siwto'r tŷ rywsut. Bob hyn a hyn fe glywn rwnan rhyw bryfyn neu'i gilydd yn cael ei dewi'n sydyn wrth i Clive ei ddal rhwng plygion ei floneg. Doedd hi ddim mor hawdd arna i – ces fy mhigo mewn llefydd nad oeddwn yn gwybod eu bod yn bodoli. Cedwais rywfaint o'm hurddas trwy beidio â diosg pob dim; roeddwn yn gwisgo sbectol haul, fel na allai Clive wybod i ba gyfeiriad yr oeddwn yn edrych.

Penderfynodd Clive y byddai'n syniad da bedyddio'r tŷ newydd trwy gael clamp o barti swper mawr. Roedd e'n gwybod, medde fe, am gyplau eraill oedd yr un mor hoff o noethni â ni. Neu mor hoff ag yr oedd e, i fod yn gywir – doeddwn i erioed wedi dweud mod i'n hoff o fod yn noeth, ond imi ddod i arfer ag e, fel yr arferais â phob un o weithredoedd Clive, er mor anodd oedd ambell un i'w chyfiawnhau. Doedd hi ddim bob amser yn ymarferol inni fod heb ddillad. Roedd coginio, er enghraifft, dipyn yn haws heb gael eich llethu â'r ofn o losgi eich dirgelion gyda saws *dauphinoise*. Ac roedd agor drws y ffwrn fel wynebu tanllwyth, wrth i ddrafft berwedig eich taro mewn man annisgwyl.

A dyna fu fy nadl pan ddechreuodd sôn am y parti – nad oedd disgwyl imi baratoi fy nanteithion aruchel arferol yn noethlymun, rhag ofn i mi beryglu fy hun, a llosgi'r darnau gorau ohonof. Ond roeddwn i'n barod i gyfaddawdu. Fe ddes o hyd i ficini wedi'i wneud o galonnau secwin coch, tebyg i'r un a wisgodd Barbara Windsor yn *Carry On Doctor*, a chynnig ei wisgo wrth goginio. Ond un styfnig yw Clive. "Na, Gwawr, noethni yw diosg pob dim – fedri di ddim cyfaddawdu. Bydd jyst rhaid i ti baratoi rhywbeth llai peryglus i'w fwyta," meddai yntau, gan chwythu mwg ei sigâr i fy nghesail dde. "Salad bach syml, a rhyw bwdin digon di-nod, fel *crème brulée*. Dyma ein bywyd newydd ni, Gwawr, 'nest ti addo. Sdim troi 'nôl nawr."

Ro'n i'n betrus, wrth reswm, pan ddechreuodd Clive sôn am wahodd pobl eraill i'r tŷ. Un peth ydy ymddangos yn noethlymun gorcyn o flaen eich gŵr, ond peth arall ydy gwneud hynny o flaen dieithriaid, yn gwisgo sbectol haul neu beidio.

"Nid dieithriaid," ategodd Clive. "Daf a Nesta."

Er iddo sôn am glamp o barti, dim ond un cwpwl atebodd y gwahoddiad.

"Nage'r ddau 'na achosodd yr holl ffwdan i glwb gwersyllwyr Cymru?" gofynnais. Ro'n i'n dal i gofio'r straeon yn y papur yr wythnos wedi'r Steddfod – a'r lluniau ohonynt a chanddynt stribynnau mawr du ar eu hyd.

"Camddealltwriaeth oedd hynny, Gwawr. Fe benderfynodd y Steddfod beidio â'u herlyn yn y diwedd," meddai Clive, gan grafu'r boncyff rhwng ei goesau. "Ond mae'r digwyddiad wedi effeithio arnyn nhw, heb os – ac fe fydd hi'n chwith arnyn nhw adre yn y tŷ 'na ar eu pennau'u hunain ddechrau mis Awst. Meddwl amdanyn nhw ydw i, dyna i gyd. Mae hi'n amser i ni estyn llaw, gwneud iddyn nhw sylweddoli nad ydyn nhw ar eu pennau'u hunain."

Dyn fel yna yw Clive. Wastad yn meddwl am bobl eraill. Er nad wyf erioed wedi cwrdd â Daf a Nesta, *yn y cnawd,* fel petai, mae Clive yn mynd atyn nhw'n reit aml. Rhyw wyliau rhyfedd fyddan nhw'n ei gael gyda'i gilydd, hyd y gwelaf i, oherwydd dyw Clive byth yn gallu cofio unrhyw fanylion. "Gethon ni amser da, Gwawr, dyna'r oll sydd eisiau i ti wybod," byddai e'n dweud. "Rheda fath i fi 'nei di, dyna gw' gyrl."

Dwi'n dal i gofio'i wyneb yn troi'n wyn fel ei ben-ôl pan welodd y stori 'na yn y papur. Diffoddodd ei ffôn am ddyddie wedi hynny, am ryw reswm.

Ro'n i'n nerfus pan ganodd y gloch y prynhawn hwnnw. Do'n i ddim eisiau ateb y drws i ddechrau. Ond bu'n rhaid mi, gan fod Clive yn y stafell molchi yn gwneud rhywbeth neu'i gilydd, a fy ngŵn nos sidan i wedi'i lapio amdano. Ro'n i wedi bod wrthi'n perffeithio'r *crème brulée* trwy'r prynhawn a'm dwylo'n stecs o hufen dwbwl. Sefais wrth y drws yn crynu, heb syniad yn y byd a fyddai Daf a Nesta yn noethlymun ai peidio. Hiraethwn am ddrws gwydr y tŷ blaenorol, a oedd yn caniatáu ichi weld siâp a lliw'r ymwelydd, gan sicrhau nad oeddwn i'n ateb y drws pan fyddai heddwas yn galw, fel roedd sawl un yn dueddol o wneud. Ro'n i'n lico'r hen dŷ – ei gorneli tywyll, ei waliau gwyrdd, ei ddistawrwydd, a'i guddfannau. Nid tŷ agored, golau, yn wynebu'r stryd, a phawb yn gweld pawb, fel y chwyddwydr hwn. Er mai dyna'n union pam y symudon ni – neu dyna mae Clive yn ei ddweud wrth bawb, beth bynnag. "Mwy o le i anadlu," dyna ddywedodd e ryw noson, gyda 'mhen mor dynn o dan ei gesail fel nad oedd modd i minnau anadlu o gwbl.

Ar y funud olaf, penderfynais guddio fy noethni gyda ffedog *Del a Dei yn y Gegin.* Fe'i cefais yn anrheg gan Clive ryw Nadolig – ffedog blastig, anhyblyg, a chanddi gorff noeth Del ar un ochr a chorff noeth Dei ar y llall. Wrth agor y drws doedd gen i ddim cyfle i edrych lawr i weld pa gorff oedd amdanaf, ond fe welais yn ôl y boddhad yn llygaid Nesta mai Dei oedd yn fy nghynrychioli'r tro hwn.

"Shwmai, Gwawr," meddai'r Nesta ddinicer. "Diolch am y gwahoddiad. Bydd *cognac* yn plesio, gobeithio?"

Ceisiais fy ngore i beidio ag edrych ar ei bronnau'n bownsio fesul brawddeg.

"Ydy Clive o gwmpas?" gofynnodd y Daf didrwser.

Heb sbectol, doedd ond un man i edrych.

"Ydy, mae e lan lofft," meddai'r llais nad adwaenwn fel fy llais fy hun. "Mae swper bron yn barod."

Wrth imi daenu olew a pherlysiau dros y cyw iâr, cynigiodd Nesta fynd i weld lle'r oedd Clive, tra bod Daf yn rhoi help llaw i mi.

"Ma hwn yn *dab hand* yn y gegin, on'd wyt ti, cariad?" meddai hi, gan roi winc i'w gŵr, cyn i'w phen-ôl ddiflannu trwy ffrâm y drws. Wrth imi dorri'r letys yn ddarnau mân, mân, llithrodd dwylo Daf fel cadwyn o'm cwmpas, gan gydio yn y letysen. "Fel hyn rwyt ti'n torri letys, Gwawr," meddai, gan ddechrau rhwygo'r cnawd meddal â'i fysedd garw, nes bod y letysen yn un pentwr blêr ar y bwrdd. Erbyn hyn, roedd Daf yn ddigon agos nes mod i'n arogli ei anadl garlleg a brandi ar fy ngwar. Yn ddirybudd, sleifiodd ei ddwy law i mewn trwy ochrau fy ffedog, gan lanio ar fy mronnau, a'u gwasgu'n galed.

"Hoffech chi ddiod oer, Daf? Rhywbeth i dorri syched?" meddwn yn sydyn, gan dollti hanner botel o finegr *balsamic* dros fy nghownter disglair.

Roedd 'na synau rhyfedd yn dod o'r llofft erbyn hyn, sŵn chwerthin wedi'i ddistewi rywsut, fel 'tai rhywun yn chwerthin trwy glustog. Rhuthrais i nôl lliain i sychu'r cownter, gan weld fy mronnau rhydd yn dawnsio yn y pwdel trioglyd.

Erbyn i bawb ymgynnull wrth y bwrdd, roedd golwg lawn ar Clive a Nesta, a rhyw gochni rhyfedd ar eu gruddiau, tra bod wynebau Daf a finnau mor welw â'r caws gafr yn y salad. Cymerodd hi lai na chwarter awr cyn i Clive ddechrau sôn am y busnes Steddfod, er ei bod hi'n amlwg nad oedd Daf na Nesta eisiau siarad am y peth.

"Naethon ni ddim byd o'i le mewn gwirionedd," protestiodd Daf, gan gnoi'r salad yn ddistaw ac yn bwyllog. "*Vinaigrette* hyfryd iawn, Gwawr, gyda llaw."

"Diolch," meddwn innau, heb fedru edrych i fyw ei lygaid. Ro'n i'n teimlo cysgod ei gyffyrddiad arnaf o hyd. Estynnais am y sbectol haul drachefn.

"Mae'n rhaid iddyn nhw fod yn fwy eglur am y pethau 'ma," ategodd Nesta, gan dagu ar ddarn o afocado nes bod 'na gawod werdd wedi britho'i mynwes. "Dyw e ddim yn gweud yn unman yng nghanllawiau'r maes pebyll na chei di fod yn noeth ar dy batsyn dy hun. Na bod rheolau ynghylch yr hyn rwyt ti'n penderfynu ei wneud er mwyn... *dathlu'r* noethni hwnnw. Ac os oes rhywrai eraill yn digwydd camddeall pam rwyt ti'n gofyn iddyn nhw ymuno yn yr hwyl, wel, nid ein problem ni yw hynny."

"Ma'r peth yn hurt," meddai Clive, ei ên yn gyforiog o saws tomato. "Ychydig o noethni ac mae hi ar ben arnoch chi. Digwyddodd yr un peth i ni ble roedden ni'n byw cynt – dyna pam y symudon ni, ontefe cariad? Y gymdogaeth ddim cweit wedi symud gyda'r oes yn yr un ffordd â ni."

"Ie, dyna ni," meddwn yn ddistaw, gan feddwl eto am y diwrnod y daeth y ddau heddwas i'r tŷ, a Clive yn cuddio i fyny'r grisiau. Dwi'n dal i gofio wynebau'r bechgyn ifainc fydde'n gweiddi tu allan i'r tŷ liw nos. Bûm i'n sgwrio'r paent oddi ar wal flaen y tŷ am dri diwrnod cyfan.

"Y peth am noethni yw fod pobl yn meddwl ein bod ni'n mynd *y tu hwnt* i'r hyn sy'n rhesymol, a beth dy'n nhw ddim yn gweld yw mai mynd sha 'nôl ydyn ni, a hynny yn y ffordd fwyaf positif. Y broblem gyda chymdeithas fodern yw fod ar bawb ofn noethni, ac maen nhw'n ystyried bod person sy'n mwynhau bod yn noeth yn wyrdroëdig. Dyna lle mae'r drwg, mewn gwirionedd," meddai Daf.

"Yn gwmws," meddai Clive, "er nad ydyn nhw'n gweld mai nhw, â'u syniadau piwritanaidd, sy'n wyrdroëdig mewn gwirionedd. Tynna'r sbectol ddwl 'na bant, 'nei di, Gwawr?"

"Mae hi mor braf dod ar draws cwpwl arall sy'n deall," meddai Nesta, gan chwilio am fy llygaid o dan y düwch plastig. "Ry'n ni mor falch eich bod chi, Gwawr, wedi penderfynu dod yn... yn fwy o ran o bethe. Roedden ni wastad yn holi amdanoch chi pan fydde Clive gyda ni. Dwi'n edrych ymlaen at... ymgynefino â chi," meddai hi. Nadreddodd ei llaw ei ffordd o dan y bwrdd a rhwng fy nghoesau. Roedd ei chyffyrddiad hi ychydig yn llai ymwthiol na'i gŵr.

"A sôn am ymgynefino," meddai Clive, "beth am i ni fynd i mewn i'r *conservatory*, ife? Digon o le mewn fan 'na.

Ac yn well byth, ma hi'n edrych mas dros y pentref i gyd, bron â bod. Medrwn ni weld pawb, a medran nhw ein gweld ni. Gymrwch chi bip?"

Cododd y dynion o'u seddi, a chamu allan o'r stafell. Arhosodd Nesta wrth fy ochr am eiliad fach, ei llygaid yn efydd-golau fel y *cognac* y bu'n ei yfed trwy'r nos.

"'Dy'ch chi am ddod gyda ni, Gwawr?" meddai, a'r frawddeg yn diferu o'i genau.

"Well i fi aros i gadw llygad ar y pwdin," meddwn innau.

"Ond 'mond *crème brulée* yw e, ontefe? Allwch chi ei roi dan y gril nes mla'n."

Bu bron imi ildio. Bu bron imi adael iddi afael yn fy llaw a 'nhywys tua'r tŷ gwydr, lle byddwn yn deall o'r diwedd yr hyn roedd Clive am i mi ei wneud, ac am imi fod. Ond roedd y pwdin yn bwysicach. Roedd cadw fy urddas sbectol haul a pharhau gyda'r noson fel 'tai hi'n unrhyw noson arall yn hanfodol imi. Allwn i ddim yn fy myw â wynebu'r heddweision a'r bechgyn cas yn gweiddi fin nos petawn innau, rywsut, ar fai.

Cymerodd hi bedair munud ar ddeg i'r *brulée* i frownio'n berffaith. Gosodais y pedwar *brulée* o dan y gril poeth, a mwynhau, am unwaith, y tonnau ysgafn o wres a ddeuai ohono – y rheiny'n felys ar yr awel ac yn falm i fy meddwl. Roedd y nosweithiau'n dechrau oeri. Trwy gil y drws gwelwn wên lydan yn lledaenu dros wyneb Daf wrth i Nesta foesymgrymu o'i flaen, ei chyrliau yn dawnsio'n rhythmig dros ei gorff i gyd, a'i thafod yn llif o lysnafedd llesmeiriol. Clywn ebychiadau arferol Clive yn bownsio oddi ar y gwydr, gan wybod, tu hwnt i'r stribed o olygfa oedd gen i, ac yn ôl y modd yr oedd corff Nesta'n hercian yn sydyn bob hyn a hyn, ei fod yntau, yn fwy na thebyg, yn cael modd i fyw rhwng ei chluniau hael. Tynnais y potiau bach porslen allan o'r gril a'u gosod yn swnllyd ar lestr arian, gan roi sbrigyn o fintys ar ben pob un.

Erbyn imi gerdded i mewn i'r tŷ gwydr, roedd y tri'n eistedd yn ôl yn eu seddi, a Clive yn chwythu mwg sigâr glas i mewn i'r gofod cyfyng.

"Clive, oes rhaid? Dwi ddim ishe sbwylo blas y *crème brulée.*"

"Hyfryd, Gwawr, hyfryd," meddai Nesta, mewn llais isel, cysglyd.

"Does fawr o whant pwdin arna i a gweud y gwir," meddai Daf yn bigog.

"Nonsens," meddwn innau. "Mae'n rhaid cael pwdin, on'd o's e? Pwdin i bawb o bobl y byd."

Yr eiliad cyn i rywbeth ddigwydd y bydd rhywun yn edrych 'nôl arni o hyd. Hyd yn oed nawr dwi'n trysori'r eiliad fer o lonyddwch a brofais wrth weld y llwyau bychain arian yn cael eu plymio'n ddwfn i'r cnawd melyn, meddal, a'r crac boddhaol hwnnw a glywais wrth iddyn nhw dorri arwyneb caled y sglein siwgr brown. Ac yn galaru na chafodd neb y cyfle i godi'r cryndod bendigedig at eu gwefusau. Gwelais y cyfan yn digwydd yn ara deg. Y garreg las yn taro'r gwydr. Wynebau'r bechgyn y tu allan yn troi'n galch wrth i'r gwydr ddisgyn amdanom fel cawod o sêr. Nesta'n ebychu wrth i ddarn o wydr blannu ei hun yn ei throed chwith, Daf yn sgrechian wrth i'w ben-ôl ddechrau diferu â gwaed, a Clive yn wylofain yn ddistaw am fod carreg wedi dyrnu clamp o glais yn ei gôl. Finnau'n sefyll yno, rywsut neu'i gilydd heb fy anafu o gwbl, yn hiraethu am fantell blastig *Del a Dei*; am rywbeth, unrhywbeth, i 'ngwarchod rhag llygaid y bechgyn a oedd yn dal i edrych 'nôl arnon ni wrth iddyn nhw garlamu i'r gwyll.

Ac yn waeth byth, yr oedd y dafnau mwyaf o wydr bellach yn ymwthio'n fygythiol o floneg melyn, melys y *crème brulée*, fel cyllyll tryloyw yn hollti'n syth trwy'r cymysgedd tenau ac yn syth trwy 'nghalon innau.

"Fy mhwdin i," meddwn, a'r dagrau'n powlio i lawr fy nghorff, heb 'run brethyn i rwystro'r llif. Welais i ddim eisiau llewys gymaint yn fy mywyd.

Mis Mêl

ROEDD E WEDI gwylltio at y ffordd ro'n i newydd ei gusanu; ddim yn iawn, ddim fel arfer. Blasodd fwriadau eraill ar fy ngwefusau, dyhead am ddyn arall, meddai e. Ond wrth edrych yn ôl nawr, dwi'n gweld mai'r ffaith iddo gael ei bigo gan un o'r gwenyn a wylltiodd e'r prynhawn hwnnw, nid y gusan. Broliai Euros yn aml nad oedd wedi cael ei bigo ers rhyw bum mlynedd, yn wahanol i fi, a fyddai'n cael fy mhigo'n gyson. Taerai fod ganddo ryw ffordd arbennig gyda'r creaduriaid dirgel hyn, ei fod yn gwybod yn union sut i'w trin a'u trafod. "Maen nhw'n gwbod pan fydd rhywun eu hofn nhw, Lydia," arthiodd arnaf y prynhawn hwnnw. "Maen nhw'n gallu synhwyro'r peth wrth arogli dy chwys di, ac mae e fel glud, yn eu denu nhw'n nes ac yn nes." Rhaid, felly, bod ambell ddafn o fy chwys innau wedi syrthio ar ei wisg wen, dyna y byddai'n ei ddadlau pan ddôi i'r tŷ, a'i wyneb yn gysgod dan wead corynnog ei benrwyd.

Gwylio'r cyfan trwy ddrysau'r gegin gefn oeddwn i, ei weld yn archwilio'r cnawd, gan ryfeddu at y colyn pigog, gwenwynig yn y croen, cyn ei grafu'n araf i ffwrdd â chyllell, er mwyn osgoi gadael i'r gwenwyn dreiddio. Dylwn wybod yn well na cheisio'i gusanu yr eiliad y do'th i'r tŷ; roedd hynny, yn ei dyb ef, fel cael un pigiad arall.

"Paid," meddai. "Jest paid."

Teimlwn fy ngwefus yn ymrolio'n ôl i dywyllwch fy ngheg. Dyna pryd, am wn i, y penderfynais nad oedd y mêl yn fy ngwaed wedi'r cyfan, nad oes gronyn o neithdar yn fy natur, a bod yn rhaid i mi wneud rhywbeth am y peth, cyn ei bod hi'n rhy hwyr.

Fedraf i ddim cofio'r tro diwethaf i Euros fy nghusanu o'i wirfodd. Nid y bu erioed yn gusanwr gwerth chweil, chwaith. Mae ei dafod wastad ar ruthr, fel pe bai'n chwilio'n ddiamynedd am rywbeth, fel gwenynen yn gwasgu'i chorff yn erbyn petalau blodyn. Gyda'r gwenyn y bydd e'n rhannu ei dynerwch, nid gyda fi. Bob bore fe gaf fy atgoffa o hynny wrth wthio fy llwy i bot mêl clir, a gweld y cariad – y'm hamddifadwyd ohono – yn diferu'n gawod euraid o'm blaen.

"Y mêl mwyaf esmwyth gei di," meddai Euros. "Perffaith. Mêl grug."

Gwelaf fy adlewyrchiad yn glir yn yr aur tywyll wrth iddo ymestyn y pot ataf i. Fiw i mi ddweud nad wyf yn hoffi ei flas pigog, siarp; mai dynes mêl ysgafnach ydw i, mêl tafod yr ych, a'm hadlewyrchiad yn amlinelliad melyn ynddo.

Rydw i bellach wedi rhoi'r gorau i drin y gwenyn. Dywedodd y doctor na fyddai'n ddoeth yn fy nghyflwr i, rhag ofn. Ac er y bydda i'n gwneud yn siŵr mod i'n cadw draw, gan gau pob drws a ffenest yn glep bob tro yr aiff Euros i ymdrin â nhw, does dim dianc rhag y rheiny sy'n llechu yn fy isymwybod, yn tresmasu'n swnllyd ar fy mreuddwydion. Yn aml, byddaf yn troi a throsi yn y gwely gan ddychmygu fy nghorff ar dân wrth i filoedd o wenyn gwenwynig fynnu maeth fy nghorff. Clystyru o gwmpas cromen gron fy mol y maen nhw, yn gantref o adenydd tywyll, yn ceisio sleifio i mewn trwy'r botwm bogel. Deffroaf, fel arfer, i glywed Euros yn cwyno mod i'n dwyn y dillad gwely. Yr hormonau sydd ar fai, medde fe. Dyw e ddim yn deall mor fyw yw'r cyfan; dwi'n gallu teimlo'r gwenyn yn fy ngwallt, rhwng fy mysedd, yn crebachu am fy nghalon. Weithiau, pan ddaw 'na ffrwtian egnïol o'm bol, dwi'n amau ai babi sydd yno o gwbl, yntau gwenynen ar ei phrifiant, yn chwileru'n gyfrin yn y düwch.

"Efallai y byddai symud i rywle llai, llai... anghysbell yn syniad," oedd cyngor fy noctor; dynes dalsyth, urddasol, sydd wastad yn edrych i fyw fy llygaid. "Mae pethau'n bownd o droi yn eich meddwl a chithau'n byw mor bell o bob man. Ydych chi'n hapus, Lydia?"

Fe fydd hi'n edrych yn hir arnaf, wedyn, gan geisio darllen y saib rhyfedd sydd rhyngom. Dwi'n disgwyl iddi roi ateb i mi; ond wnaiff hi byth. Tabledi haearn yw'r mwyaf y gall hi gynnig i mi ar hyn o bryd, meddai hi, a'i llaw yn cau'n dosturiol am fy un innau wrth estyn y presgripsiwn.

Do'n i ddim yn meddwl y byddwn i byth yn teimlo'r ysfa i symud o'r fan hon. Pan ddo'th Euros â mi yma gyntaf, y bore bach hwnnw a minnau wedi fy hudo gan y mêl yn ei lygaid, roedd fel esgyn i'r awyr rywsut, fel camu i blith y sêr. Cofiaf weld y lle am y tro cyntaf, y tyddyn gwyn yng nghesail y clogwyn, yr ardd yn ymestyn o'r drws cefn fel melfed glân, a'r môr fioled, gwyllt oddi tanom. Gwyrodd y byd i un ochr, syrthiais yn un swp meddal i'w freichiau. "Dere i fyw yma ata i," meddai, gan ddatod botymau fy ffrog laes. "Iawn," meddwn innau, fy nannedd yn ymgodymu â bwcl ei wregys. "Fe ddo i." Roedd hi'n rhy dywyll, bryd hynny, wrth gwrs, imi allu gweld yn iawn mai cwch gwenyn oedd y silwét sidanaidd wrth droed y goeden eirin.

Fy mhrif swyddogaeth yw tendio'r ardd; gwneud yn

siŵr ei bod yn dwt ac yn lân, nad oes yma ddim byd yn ormodol i demtio'r gwenyn, fel y gallant hedfan yn rhydd yn y caeau a'r llwyni, lle y mae'r paill gorau i'w ganfod ym mlodau'r meillion a'r sycamor. Gwelaf ambell wenynen yn dychwelyd o'i thaith, y neithdar bellach wedi'i amsugno i'w bol, ond nid yw'n brolio'r ffaith, mae'n ei chadw'n gyfrinach dan ei hadenydd bychain. Fel yna oeddwn innau y misoedd cyntaf hynny; neb, hyd yn oed Euros, yn gwybod dim am yr hyn a lechai y tu mewn i mi. Dyna'r adeg lle y dylwn fod wedi heidio gyda'r gwenyn, ymhell oddi yma, a dwyn fy nghyfrinach gyda mi. Ond ystwyrian yn rhy hir uwchben y peth wnes i. Nes iddo weld, un diwrnod, fod 'na ymchwydd wedi dechrau dod i'r fei. Gwrid o fath gwahanol ar fy ngrudd. "Wyt ti'n siŵr nad wyt ti'n...?" meddai, gan wasgu'i ddwylo mawrion o gylch fy ngwasg. Ymhen awr roedd wedi mynnu bod y doctor yn galw, er mwyn iddo gael gwybod yr hyn yr oeddwn innau yn ei wybod ers tri mis a mwy.

"Mae hi'n rhy hwyr, nawr, wrth gwrs," meddai'r doctor wrthyf wrth gau'r giât. "I chi wneud dim am y peth, ry'ch chi'n deall hynny?"

Syllu'n hiraethlon i lawr at y traeth wnes i'r noson honno, wrth i Euros baratoi pryd bwyd i ni ddathlu. Bu wrthi'n chwibanu'n ddi-diwn yn y gegin am ei fod wedi llwyddo, unwaith eto, i greu rhywbeth o ddim byd.

Ond nid y ti sy'n creu'r mêl, dwi wastad eisiau dadlau. Y gwenyn sy'n neud y gwaith. A'r gwenyn benywaidd pan ddaw hi i hynny. Nhw sydd allan bob awr o'r dydd yn gweithio i gynnal y tipyn cwch, i gasglu'r paill a'r neithdar, yn ildio eu cyrff bychain i'r greadigaeth er ei fwyn ef; er mwyn iddo droi rhywbeth sy'n gwbl naturiol yn rhywbeth annaturiol.

Does ganddyn nhw ddim syniad, wedi'r cyfan, eu bod nhw'n gweithio i gwmni – Mêl Aur Euros – a bod eu cyrff bach nhw'n cael eu defnyddio i greu delwedd, a'r ddelwedd honno'n cael ei dyblygu'n gannoedd o sticeri bach melyn. Dydyn nhw ddim yn gweld yr hyn a welaf i, sef yr aur yn troi'n arian byw yn ei lygaid barus, y paill melyn yn troi'n staen punnoedd ar ei fysedd.

Yn ôl Euros, wrth gwrs, does ganddo ddim byd ond y parch mwyaf at ei weithwyr bach; hyd yn oed y rheiny sy'n gwneud dim, sef y gwenyn gwrywaidd, y bygegyron. Fe fydd y rheiny'n cael segura'n ddiog o gylch y cwch, yn rhoi eu traed i fyny, fel y gwna Euros byth a hefyd. Y peth gwaethaf am y bygegyron yw eu llygaid, am fod y rheiny gymaint yn fwy na rhai'r gwenyn arferol. Llygaid cyfansawdd, medd Euros, a'r rheiny'n cynnwys nifer o lygaid llai, er mwyn iddyn nhw allu gweld yn well na phawb arall. Ond pan fydd rhywun yn gweld môr o amrannau yn syllu'n ôl, mae'n ddigon i'ch dychryn. O leiaf does dim rhaid i mi ofni y gall y bygegyron fy mrathu – does ganddyn nhw ddim hyd yn oed rym i fy mhigo, gymaint yw eu dinodedd.

"Ond heb y bygegyron, fy nghariad i, does 'na *bugger all*," bydd Euros yn brolio. "Oni bai eu bod nhw'n ffrwythloni'r wyryf ifanc, wel fydde 'na ddim parhad o gwbl, dim cwch gwenyn, dim mêl, dychmyga hynny. Reit, gwell mynd 'nôl i weithio, 'y nghariad i..."

Yn un â'r morynion diwyd, af 'nôl at fy ngwaith o dendio'r blodau, yn edifar na chaf gripian i mewn i betalau'r asalea a diflannu am byth. Hed y bygegyron uwch fy mhen yn un haid wawdlyd. Taeraf i mi eu clywed yn chwerthin am fy mhen. Ond fi fydd yn chwerthin ymhen dim, gan mai byrhoedlog yw bywyd y bygegyron.

Wedi i'r gwryw wneud ei waith, fe fydd yn trigo. A'r unig offeryn o werth sydd ganddo'n chwalu'n ddiffrwyth yn y gwynt.

Mae hyd yn oed gwneud y medd yn dechrau troi'n orchwyl go iawn bellach, gan na allaf ymestyn cystal o gwmpas y bwcedi mawrion yn y pantri. Wrth iddo brifio, mae fy mol yn mynnu creu gagendor rhyngof i a phethau arferol fy myd, fel petai'n fy mharatoi ar gyfer gweld pethau'n wahanol – o ryw bellter anghyraeddadwy.

Dwi'n dipyn o arbenigwr ar wneud medd, er mai fi sy'n dweud. Ers i mi ddechrau ychwanegu fy nghynhwysion fy hun, gan wfftio rysait haearnaidd Euros, ry'n ni'n derbyn mwy o archebion am fy medd i na'r mêl arferol y dyddiau 'ma. Dwi'n taflu pob math o bethau i mewn: grawnwin, afalau, petalau, eirin, neu ddyrnaid cyfrin o berlysiau. Weithiau fe fyddaf yn llosgi'r mêl fymryn yn gyntaf, nes bydd sawrau taffi, siocled a malws melys yn llenwi'r tŷ. Ond y medd cyrains duon, hwnnw yw'r ffefryn ymysg y prynwyr, hwnnw'n drwchus ac yn dywyll fel gwaed. Y tro cyntaf i mi ei wneud roedd yna lanast ym mhob man, a'r pantri fel lladd-dy. Pan ddaeth Euros i'r drws a gweld fy ngwên borffor bu bron iddo alw am ambiwlans.

Y peth gorau am wneud y medd yw'r distawrwydd. Yno, yn y pantri, mae'r swnian yn peidio, a does yna neb ond fi. Mae 'na ddisgyblaeth hyfryd yn perthyn i'r grefft o wneud medd. Y dŵr, y mêl a'r burum yn ymblethu i'w gilydd, y swigod yn ffrwydro, ac yna, wrth grafu'r ewyn tenau i ffwrdd, fe ddaw'r arogl perffeithiaf i'm cyfarch, aur ambrosia – bara'r angylion. Dipyn wrth dipyn mae'r silffoedd yn llenwi â photeli. Mae Euros yn mynnu cadw potel neu ddwy er mwyn i ni gael eu hyfed. Mynnodd, yn y mis cyntaf o briodas, fy mod yn yfed glasiad bob nos, am fod hynny, mae'n debyg, yn hybu ffrwythlondeb, ac yn bwysicach fyth, yn sicrhau y byddem yn cenhedlu bachgen.

"Rhaid i'n plentyn cyntaf ni fod yn fachgen," meddai wrthyf, fel petai ganddo ryw hawl ddwyfol i benderfynu. "Gallwn ni ymlacio, wedyn, os cewn ni fab, a chael llond tŷ o ferched ar ei ôl. Dim ond mab sy'n mynd i wbod sut i drin y gwenyn 'na. Fel 'nhad cynt, a 'nhad-cu cyn hynny. Nawr dere, yfa hwn."

Bob tro y bydd yn troi ei gefn fe fyddaf yn tywallt ychydig o'r hylif dros yr asalea y tu ôl i mi. Ers i mi ddechrau gwneud hynny, mae hwnnw wedi ffynnu'n rhyfeddol; fe saif, yn wrywaidd o dal, yn llawn brafado yn yr ardd gefn. Ychydig a ŵyr Euros mai dyna'i fab, mewn gwirionedd. Cadarnhaodd y doctor yr wythnos diwethaf mai merch yw ein plentyn ni. Er mawr rhyddhad, doedd ganddi ddim adenydd. Roedd hi'n berffaith, yn nofio'n braf ym mwrllwch fy nghroth, yn gymalau iach i gyd, yn gwneud ei dawns sigl-di-gwt ei hun oddi mewn.

Dyw'r gwenyn byth yn dod yn agos at y goeden asalea, wrth gwrs. Er na fyddai'r planhigyn yn lladd y gwenyn, petaen nhw'n casglu rhywfaint o baill oddi arno fe fyddai'r gwenwyn sydd ynddo'n treiddio i'r mêl yn ara deg, a misoedd o waith wedi mynd yn ofer. Mêl lloerig sy'n cael ei greu gan y fath baill, mêl sy'n creu gwallgofrwydd; mêl na all dynion ei stumogi.

"Ond sut ma nhw'n gwybod sut i'w hosgoi hi?" gofynnais i Euros ryw ddiwrnod.

"Yr un ffordd ag yr wyt ti a finne'n gwbod sut i osgoi'r pethau hynny sy'n wael i ni," meddai. "Greddf."

Does gen i mo'r reddf honno. Ymdrybaeddu mewn

gwenwyn y bydda i'n ei wneud, hedfan yn syth i lygad yr haul, llosgi fy adenydd yn grimp.

Wedi dwy awr yn y pantri, mae bara'r angylion yn fy ffieiddio, ac ymhen dim mae'n rhaid i mi ruthro i'r stafell molchi i chwydu. Wrth wasgu'r sbwng oer ar fy ngrudd, clywaf Euros yn tuchan yn y pantri.

"Oes 'na rywbeth y medri di neud bellach?" gwaedda, a chlincian blin y poteli'n gytgan i bob brawddeg.

"Oes," atebaf yn ddistaw bach. "Fe alla i ddosbarthu, on'd alla i?" Dwi'n disgwyl iddo wrthod y cynnig, am nad yw e'n rhy hoff ohona i'n crwydro oddi yma. Ond mae e wedi blino gormod i wrthwynebu. Mae ei fys yn gwynegu wedi'r pigiad, ac mae ganddo ddeunaw potel arall o fedd i'w cwblhau erbyn bore fory ar gyfer ffair fwyd. Mae'n gosod allweddi'r fan yn fy llaw a dweud wrtha i am yrru'n ofalus. Ond am y potiau a'r poteli euraid yng nghefn y fan mae e'n sôn, wrth gwrs, nid amdanaf i a'r babi. Petai'r fan yn hwylio oddi ar ochr y clogwyn, neu'n cael ei throi ben i waered yn y clawdd, yr hyn a fyddai wir yn arteithio Euros fyddai gweld aur y misoedd diwethaf yn llifo'n slwj gwastraffus dros y gwair.

Wedi i'r fferm ddiflannu o'r golwg yn y drych ôl, dwi'n teimlo'r rhyddhad. Fel gwenynen ar ei thaith o'r cwch, yn rhydd yn yr awyr agored, yn cael dianc o'r tywyllwch. Mae'r babi'n dechrau ffrwtian yn fy mol, fel petai hi'n synhwyro ei bod hi'n ddiogel iddi symud. Ac wrth i'r môr gogoneddus ddod i'r golwg, mae'r cloddiau uchel fel pe baen nhw'n iselhau wrth i mi ddod lawr y rhiw, y tai yn llamu o'r gwyrddni ac yn gwenu arnaf, y pentrefwyr yn ymffurfio yn y tarmac poeth, a'r byd yn cyffroi. Yr awel ysgafn yn chwipio fy ngwallt trwy'r ffenest agored; y poethder llethol a deimlais cynt yn dechrau esgyn oddi ar fy nghroen. Dwi'n parcio wrth siop y pentref, ac yn agor cefn y fan. Ymhen dim mae Vernon a Bet, perchnogion y siop, wrth fy ymyl.

"Mawredd annwyl, be sy'n bod arnoch chi'n trio codi'r bocsys 'na yn eich cyflwr chi?" meddai Bet. "Ma isie whilo pen y gŵr 'na sy 'da chi, yn gadael i chi fynd o gwmpas y lle ar eich pen eich hunan. Gatre dylech chi fod, a'ch traed lan. Gadewch i Vernon gymryd rheina! Faint sda chi fynd nawr?"

"Tair wythnos," dwi'n ateb, gan wenu'n wanllyd arni. Dim ond yn ddiweddar mae Bet wedi dechrau siarad â fi, go iawn. Cynt, do'n i'n ddim byd mwy na chyflenwr. Ond wedi i'r bol ddechrau newid ei siâp, roedd fel petai hi'n fy ngweld i o'r diwedd. Mae menyw feichiog yn weledol i bawb. Yn gwch gwenyn ynddi'i hun, a'i gweithwyr diwyd, anweledig wrthi'n gweithio ar y greadigaeth fwyaf oll. Daeth Bet i sylwi arnaf yn sydyn, i weld mai anifeiliaid o'r un anian ydym ni. Mamaliaid. Lle cynt ro'n i'n rhyw bryfetyn annifyr uwch ei phen.

"Ro'n i'n disgwyl fy mhlant i gyd dros yr hydref a'r gaeaf," meddai hi. "Haws o lawer nag ymdopi â'r tywydd twym 'ma – dylech chi fod wedi amseru'r peth yn well!"

Rhyfedd mai'r gwres sydd yn poeni pawb. Does neb yn meddwl gofyn a yw hi'n iawn i mi fod yn byw ar fferm fêl, ymhell oddi wrth bawb, lle mae'r gwenyn 'mond pigiad i ffwrdd rhag dwyn fy iechyd oddi arnaf i. Lle mae oglau'r chwys melys newydd sydd arnaf nawr yn denu'r gwenyn yn nes bob dydd. Darllenais yn rhywle bod mêl yn niweidiol i fabanod bach. Mae'n gallu troi'n wenwyn yn eu stumogau nhw. Hen lol, meddai Euros, a gawsai ei fwydo ar fêl ers pan oedd yn fabi; wnaeth e ddim niwed iddo fe. Bron nad oedd medd yn llifo o fronnau ei fam. Dwi'n gweld y melyster afiach sydd ynddo – hwnnw a'm denodd mor gryf y noson gyntaf honno. Ond dyw melyster felly ddim yn para. Buan iawn y bydd rhywun yn mynd i deimlo'n sâl. Ac fe aeth y caru tyner, gofalus hwnnw i fod yn rhywbeth ymwthiol, poenus, anystyriol llwyr. Llygaid Euros yn cau'n dynn a'i gefn yn crymu, a minnau'n ddistaw fel delw oddi tano, wrth i fara'r angylion nadreddu trwof.

"Gobeithio y cawn ni'r hanes nawr, cyn bo hir. Pryd ma'r diwrnod mawr wedsoch chi?" holodd Bet, wrth i mi ffarwelio â hi.

"Diwedd Awst," meddwn, gan geisio peidio â meddwl am arwyddocâd y dyddiad. Diwrnod olaf Awst, meddai'r doctor. Dyna'r diwrnod y bydd Euros yn tynnu'r mêl o'r cwch. Y diwrnod y bydd y cwch yn gorfod cael ei drin mor ofalus, yn dawel, a'r haenau euraid yn cael eu sleifio allan ohono'n gyfrinachol, cyn i'r gwenyn sylwi ar yr hyn sy'n digwydd. Diwrnod dwysaf, tawelaf, mwyaf brawychus ein byw a'n bod gyda'n gilydd.

Wedi gadael Vernon a Bet dwi'n ymlwybro tuag at y traeth. Tynnaf fy sgidiau, ac ebychu wrth weld fy nhraed, sy'n dalpiau mawr chwyddedig o gnawd. Ond mae'r gronynnau aur yn falm iddynt, a'r môr yn gysur oer o'u cwmpas. Dwi'n ysu am deimlo presenoldeb tu ôl i mi, yr un dwi wedi'i deimlo droeon ar y traeth hwn dros y misoedd diwethaf. Ac yn sicr ddigon, fe ddaeth cysgod arian i ddawnsio wrth fy ymyl. A'r ci bach du yn tywallt ei glustiau hir i'r dŵr, gan swnian o gwmpas fy nhraed.

"O'n i'n meddwl na ddeuet ti heddi," meddai llais y tu ôl i mi. Dwi'n troi i'w hwynebu. Ei chroen yn wyn a dilychwin, a'i gwallt du fel powlen sgleiniog ar ei phen. Y fenyw harddaf a welswn erioed. “Ti ychydig yn hwyrach na’r arfer.”

“Own i’n meddwl na chawn i ddod,” meddwn, gan wybod pa mor wan mae hynny’n gwneud i mi swnio. “Ond dwi yma nawr. Ac mi wyt ti, ’fyd.”

Dyma fel bydd pethau’n dechrau rhyngon ni bob tro. Y sgwrs yn frawddegau cwta, toredig, fel tasen ni erioed wedi cyfarfod o’r blaen. Mae hi’n cymryd munudau lawer i ni fedru ystwytho yng nghwmni ein gilydd, ac i gerdded, mor boenus o araf, tuag at yr ogof fechan, dywyll ym mhen draw’r traeth. Ac yn y fan honno, fe fydd pethau’n newid. Fe fyddwn ni’n meddalu ym mreichiau’n gilydd. Ei hanadl yn bêr ac yn gynnes yn erbyn fy ngwefus. Ei chyffyrddiad yn ysgafn arnaf, wrth i’w bysedd fy natod yn y mannau iawn. A’r ci bach yn gwybod, rywsut, bod yn rhaid iddo aros yn dawel ym mhen draw’r ogof, ei glustiau hir fel llenni melfed dros ei lygaid.

Pan fydd y cyfan drosodd, fe fydd pob dim wedi newid. Cerdded fraich ym mraich ar hyd y traeth, a phob ton swnllyd fel chwarddiad braf. Grym y gronynnau yn ein gyrru’n nes at ein gilydd. Esgus baglu er mwyn cael mynd yn nes ati, a chael llond ffroen o’i sebon gwallt lafant, a’r menyn coco ar ei chorff. Hithau’n edrych i fyw fy llygaid i, yn chwilio am rywbeth. Minnau’n gwybod bod yna ormod yn sefyll rhyngom ni. Cysgod tyddyn ar y bryn, a gwenyn rhithiol – a gwenwyn go iawn – uwch ein pennau ni. Ond wrth nesáu at y car fe fydd ein brawddegau unwaith eto’n gwta a di-siâp, a’i hwyliau wedi diflannu, nes bydd y munudau olaf yn ddim ond ffarwél oer rhwng dwy sydd wedi digwydd cwrdd ar draeth.

“Ga i ddod i dy weld di, cyn hir?” mae hi’n gofyn. “Lan fan ’na ar y fferm. Wneith e ddim niwed.”

"Dwi ddim yn barod 'to," meddwn. "Pan fydd y babi 'ma, fe fydd pethau'n haws, falle. Mae'n rhaid i mi gael cyfle i... i newid pethau."

"Wyt ti wedi dechrau arni...?" mae hi'n gofyn.

"Ydw, rhyw fath o... rhaid aros i weld a fydd e'n gweithio."

Wysg ei chefn y bydd hi'n cerdded i ffwrdd oddi wrthyf, yn aros tan yr eiliad olaf un cyn troi i wynebu'r gwynt. Dwi'n gwylio ei hadlewyrchiad yn y drych ochr, yn ei gweld yn troi, yn gorfodi ei hun i gerdded i ffwrdd. Ond mae'r ci bach yn dal i wylio'r car bach glas sy'n esgyn trwy'r pentref, yn ceisio deall yr hyn sydd wedi cynhyrfu a gwylltio ei berchennog.

Wrth gamu dros drothwy'r drws, gwn yn iawn mor gry yw arogl y chwys arnaf yn awr, hwnnw'n gymysgedd o'n chwys ni'n dwy, wedi suddo i'r ffrog wen sydd amdanaf. Mae Euros yn dal yn y pantri, a sŵn medd yn slip-slopian dros bob man. Gwelaf fy nghyfle, ac allan â fi, yn ddistaw bach, i sefyll wrth yr asalea, i weld a fydd fy arogl yn ddigon i ddenu'r gwenyn at y man gwaharddedig. Ddoe, fe lwyddais i ddenu un ataf, ond buan iawn yr aeth hi ar ei thaith tua'r llwyni, gan ofni, efallai, mentro at flodyn newydd heb drafod â'r gweddill. Daw geiriau Euros i lenwi 'nghlyw unwaith eto – *Maen nhw'n gwbod pan fydd rhywun eu hofn nhw, Lydia* – a dwi'n ceisio sefyll yn stond a gadael i'r ofnau esgyn ohonof. Dwi'n meddwl amdani *hi* – gymaint y gwnaeth hi fy nychryn wrth gyffwrdd ynof i gyntaf, ond erbyn hyn rwy'n hiraethu am ei chyffyrddiad, yn breuddwydio amdano ddydd a nos. Dyna sy'n rhaid i'r gwenyn ei deimlo. Fy mod yn awchu amdanyn nhw. Dwi'n gadael i'r teimladau hynny fy meddiannu nes fy mod yn un â'r blodau.

O'r diwedd, daw tair ar yr un pryd, yn drindod o adenydd swnllyd. Rhaid bod yr un a ddenais ataf ddoe wedi dweud wrth ambell gyfeilles am ei darganfyddiad, a bod y rheiny'n awr wedi dod i archwilio ymhellach. Maen nhw'n arnofio yn yr aer – fodfeddi i ffwrdd oddi wrth fy nghoesau chwyslyd – ac am eiliad, dwi'n meddwl mod i ar fin cael fy mhigo wedi'r cyfan. Dwi'n aros yn gwbl lonydd wrth i un o'r morynion fusnesu o gwmpas y cnawd, fy arogli, a chwilio am y neithdar. Mae'r ddwy arall yn hofran wrth betalau'r asalea, yn ceisio penderfynu a ânt i mewn ai peidio. Mae un yn diflannu dan y canopi llipa pinc, ac yna'r llall. Ymhen dim, mae'r drydedd forwyn wedi fy rhyddhau o'i gafael ac wedi eu dilyn i grombil y dirgelwch.

Maen nhw wedi dechrau, meddyliaf, gan wenu. Mynd yn erbyn eu greddf; at y gwenwyn. Gan fwynhau ei flas, hyd yn oed.

Dwi'n aros yno mor hir ag y medraf i, yn dalsyth fel planhigyn, gan weddïo bod digon o waith ar y medd i gadw Euros yn ei le. Ymhen dim, mae dwy neu dair arall wedi ymuno â nhw. Unwaith i mi deimlo'n sicr iddyn nhw gael llond boliaid, dwi'n ymlwybro tua'r gawod, cyn i Euros fedru fy arogli'n iawn. Weithiau, fe ddaw e i lercian y tu allan i ddrws y stafell molchi – gan ystyried dod i mewn, efallai, sleifio i mewn gyda mi yn yr ager poeth, fel roedden ni'n arfer ei wneud erstalwm. Ond mae rhywbeth wastad wedi dwyn ei sylw cyn iddo roi ei law ar ddolen y drws. Ei obsesiwn diweddaraf yw ceisio gweld lliw y paill sy'n mynd i mewn i'r cwch, er mwyn gwybod yn union o ble daw'r mêl. Fe fydd yn llechu yn yr ardd am oriau yn gwylio'r gweithwyr yn mynd ac yn dod, ac weithiau'n eu dilyn at ambell flodyn er mwyn gwneud nodyn ohono. *Maen nhw wrthi yn y goeden afalau*, mae e'n gweiddi trwy ddrws tryloyw y stafell molchi, *ti'n gallu gweld y paill melyn 'na ym mhobman.*

Rhyw fwmial yn gadarnhaol fydda i bob tro, gan weddïo bod lliw paill yr asalea yn rhyw fath o felyn, hefyd, ac na wnaiff sylwi ar y gwrthryfel distaw sy'n mynd ymlaen reit o dan ei drwyn. Wrth gamu o'r gawod dwi'n syllu'n hir ar fy adlewyrchiad yn y drych. Bob dydd mae fy nghorff yn fy atgoffa mai creadur ydwyf, a'r corff yn gwybod sut i newid ei siâp a'i ansawdd i baratoi at yr hyn sy'n digwydd. Yn union fel y gŵyr y wenynen sut i beillio, sut i gludo'r neithdar yn ôl adre yn ei chorff, yr wyf innau hefyd, rywsut, bellach yn gwybod sut i wneud i'r melyster hwn barhau. Ond mae'n fy nigio bod yn rhaid i'r ddau beth fynd yn syth i ddwylo Euros.

Dwi'n berffaith lân, bellach, ond yr un mor amhersawrus ag yr oeddwn cynt. Chawn ni ddim defnyddio persawr yn y tŷ hwn – am ei fod e'n rhywbeth arall sy'n gorgyffroi'r gwenyn, eu gwneud yn flin, gwneud iddyn nhw bigo'n ddidrugaredd. Mae'r stafell molchi'n llawn o boteli plaen, gwyn, sebonau dibersawr arbennig, a ninnau'n sgwrio'n cyrff â'r ewyn plaen hwn ddydd a nos. Dwi'n hiraethu weithiau am stafelloedd molchi fy ieuenctid, y botel binc siâp dynes oedd gan Mam ar sil y ffenest, neu'r dŵr sent llasar y byddai Dad yn ei wisgo. Poteli fioled, siâp sêr, fy chwiorydd iau. Peth od ydy byw mewn byd dibersawr, gyda'r melyn a'r aur bondigrybwyll 'ma'n fy nallu bob cyfle. O leiaf mae gan flodau'r asalea eu lliw, a'u hunaniaeth eu hunain.

Daw Euros i'r tŷ yn cwyno ei fod yn clywed ci'n cyfarth, rhywle y tu hwnt i'r cloddiau.

Mae'r awr yn nesáu. Wrth edrych i'r gwyll gallaf weld y

goeden asalea yn cynhyrfu. Mae'r gwenyn wedi tyrru yno yn eu degau bellach. Ond dyw Euros heb sylwi. Mae e'n rhy brysur yn astudio'r staen paill rhyfedd ar ei fysedd.

Mae hi'n ddiwrnod olaf mis Awst; diwrnod casglu'r mêl. Daeth y fydwraig i'm gweld bore 'ma, cymryd pwysau fy ngwaed, gwrando ar galon y babi, a'm sicrhau bod y babi'n berffaith hapus lle y mae hi.

"Am ryw reswm, dyw'r babi ddim eisiau dod heddiw," meddai, gan wenu, rhywbeth y mae'n siŵr iddi ei ddweud wrth ddegau o fenywod dros y blynyddoedd. Ond mae hi'n iawn. Eisoes mae fy merch yn darllen y teimladau sy'n cronni y tu mewn i mi, yn gwybod na all hi gyrraedd heddiw, o bob diwrnod.

"Mae e'n gwbod bod ei dad yn brysur," medd Euros o gornel y stafell. Mae ei bresenoldeb yn rhoi sioc i ni'n dwy; doedd gen i ddim syniad ei fod yno. Mae e'n gwisgo ei wisg gwenynwr, gan edrych fel ysbryd, a'r penrwyd wedi'i dynnu'n dynn dros ei wyneb. "Dyma ddiwrnod prysuraf y flwyddyn i ni."

Mae'r fydwraig yn chwerthin yn ansicr, fel y bydd pawb yn ei wneud pan na fyddan nhw'n siŵr o fwriadau Euros.

"Ry'n ni'n llawer rhy brysur i ddechrau cynnal rhyw bartïon pen-blwydd yr adeg yma o'r flwyddyn. Mae mis Medi yn llawer mwy cyfleus i'r gwenynwr," ategodd, a'i eiriau'n un cawdel myglyd o dan y defnydd.

Y prynhawn hwnnw, aiff trwy'r ddefod arferol o gasglu'r mêl, neu ddwyn y mêl, hyd yn oed. Wedi'r cyfan, mae'r gwenynwr yn greadur cyfrwys – fe fydd eisoes wedi sicrhau bod y gweithwyr allan, ac wedi'u gwylio'n gwneud eu taith o'r llofftydd mêl i'r bocs magu, a dyna pryd y bydd yn bwrw ati. Fel pob lleidr da, mae'n gwybod bod yn rhaid iddo weithio'n gyflym, gan gadw llygad ar y cloc, rhag i'r teulu darfu arno, ymosod arno, ceisio ei ladd hyd yn oed.

Dwi'n teimlo rhyw anghyfiawnder wrth ei weld ef wrthi, yn hidlo'r mêl er mwyn cael gwared o'r brychau, yn rhwydo'r aur i gyd i'w freichiau, ac yntau wedi gwneud cyn lleied, mewn gwirionedd, i'w haeddu. Ond dwi hefyd yn teimlo rhyw ysictod ym mêr fy esgyrn wrth weld y mêl arbennig hwn yn dod i'r fei. Mae arno ryw liw na welais ei fath o'r blaen, rhyw raen cochlyd, sy'n dwyn i gof y goeden asalea yn yr ardd.

"Rhaid taw paill yr eithin yw hwn," meddai, wrth hidlo'r cynnwys i'r fowlen. Mae e'n llyfu mymryn ohono oddi ar ei fys. "Mae 'na rhyw flas... anghyffredin arno. Tria fe," meddai, gan ddal ei fys allan er mwyn i mi gael ei drio.

"Well i mi beidio. Dywedodd y fydwraig wrtha i am osgoi'r mêl nawr, nes y daw'r babi..."

"Mae 'na rywbeth, rhywbeth... gwahanol am flas hwn," meddai eto, gan lenwi un pot clir â'r mêl. "Dos i 'nôl llwy i mi, wnei di?"

Ar fy nhaith yn ôl dwi'n edrych ar fy adlewyrchiad yng nghefn y llwy. Rhyw olwg dim-byd sydd arnaf nawr; a rhyw deimlad dim-byd sydd gen i wrth ei weld yn llowcio sawl llwyaid o'r ambr trwchus.

"Ie, ma 'na rywbeth... rhywbeth od amdano fe," meddai, a'i lais yn drwchus. "Ddim cweit run fath ag arfer. Yn fwy chwerw rywsut."

Dwi'n rhyfeddu mor gyflym mae'r peth yn digwydd.

Cyn iddo gymryd ail lwyaid hyd yn oed, mae wedi suddo i'r llawr, a'i goesau fel brwyn. Ond dyw e ddim hyd yn oed fel petai'n sylwi ei fod wedi llithro. Mae'n parhau i fwyta'r mêl, a hwnnw'n diferu dros bob man, i lawr ei ên, dros ei drowsus, cyn llifo'n gefnfor dros lawr teils y pantri. Wrth i'r pot syrthio o'i ddwylo dwi'n teimlo ergyd yn ddwfn oddi mewn, a'r babi'n fy mhwnio'n galed. Mae e'n edrych i fyny arna i – a'i lygaid ar chwâl, fel llygaid y bygegyron.

"Dwi ddim yn teimlo'n dda, Lydia," meddai, a'r diferion olaf yn gludo'i wefusau at ei gilydd.

Y ci ddaeth gyntaf. Yn gwau ei ffordd trwy'r ardd, gan neidio i'r awyr bob hyn a hyn er mwyn ceisio dal gwenynen rhwng ei bawennau. Doedd ei berchennog ddim ymhell ar ei ôl. Fe'i gwelais yn dod trwy'r giât, a'i chau'n ddistaw, cyn edrych o'i chwmpas fel petai'n chwilio am rywbeth. Mor ddiymadferth ydym pan na fyddwn yn gwybod bod rhywun yn ein gwylio; yn gadael i'n greddfau ein dinoethi yn llwyr. Dwi'n gweld yr ofn sydd ynddi. Wrth weld y cwch gwenyn mae 'na rywbeth fel petai'n mynd trwyddi, rhyw gryndod sydyn yn gynnwrf ar ei gwar. Os aiff pob dim yn iawn, yna cawn orwedd yma gyda'n gilydd heno, yn y gwely mawr. Y gwely na theimlodd erioed gyffyrddiadau tyner rhwng dau sydd wir yn caru'i gilydd, dim ond y gwrthryfel cnawdol rhwng Euros a finnau.

"Diolch am ddod," dwi'n dweud, wrth ei gadael i mewn. Mae'r ffurfioldeb rhyngom yn dwysáu drachefn, ond mae 'na reswm da dros hynny'n awr. Am yr oriau sy'n weddill o'n perthynas ffurfiol, perthynas doctor a chlaf ydyw'n unig. O'r cychwyn, fe wyddai hi mai Euros yw'r salwch sydd arnaf i, dim byd arall. Clywaf Euros yn udo yn y cefndir. "Mae Euros yn y pantri. Sdim golwg rhy dda arno fe. Allwch chi gymryd golwg arno fe?"

"Iawn," meddai hi, heb edrych i fyw fy llygaid y tro hwn. Wedi iddi groesi'r trothwy, dwi'n gwybod mai dyna ni; does yna ddim troi 'nôl nawr. Dwi'n teimlo rhywbeth sidanaidd o gylch fy mhigyrnau ac yn gweld y ci bach du'n syllu'n ddolurus arnaf. Mae e wedi cael pigiad gan un o'r gwenyn, ar ei drwyn smwt.

"Paid â mynd i'r ardd," dwi'n dweud wrtho, wrth olchi'r clwy yn dyner a phigo darnau olaf y colyn ohono. "Dylet ti wybod yn well na cheisio ymyrryd â'r gwenyn."

Mae e'n neidio i fyny i fy nghôl, a chyrlio o gwmpas fy ngwasg fel plentyn bach. Mae'r babi oddi mewn yn ffrwtian o hyd, ac yntau'n ei theimlo; ei glust felfedaidd yn ystwyrian bob hyn a hyn wrth deimlo'r bol yn llamu'n annisgwyl. Teimlaf ryw bwysau sydyn ar y pelfis, a rhywbeth ynof yn llacio. Gallaf anadlu'n well, ac mae holl aer y stafell fel petai'n llifo i mewn ac allan ohonof nawr, heb i ddim byd ei rwystro. Mae'r babi'n paratoi, meddyliaf. Yn gwybod y gall hi ddyfod i'r byd cyn bo hir.

Yn y pellter clywaf sŵn tap yn rhedeg. Y baddon yn llenwi â dŵr. Daw arogl annisgwyl i'm ffroenau. Arogl lafant, a chnau coco, yn tresmasu'n bowld ar draws holl arogleuon llwyd y lle – y pantri a'i furum stêl, y stafell wely a'i sawr difywyd, y gegin a'i holl atgofion o'n prydau bwyd di-liw. Ildiaf y ci bach yn swmp blewog ar garped, a dilyn yr arogleuon.

Erbyn i mi gyrraedd y stafell molchi mae Euros mewn pelen ar lawr, mor ddiymadferth â'r ci bach yn y stafell nesa. Mae e'n ceisio dweud rhywbeth wrtha i ond mae ei eiriau'n aneglur. Mae'r doctor yn edrych arnaf i.

"Eisiau golchad sydd arno fe," mae hi'n dweud. "Golchad go lew."

Mae cês y doctor ar agor led y pen ar y tŷ bach. Does 'na'r un botelaid o feddyginiaeth i'w gweld yn unman. Dim ond poteli o bersawr a hufen croen, y persawrau hynny a fu ar goll o 'mywyd cyhyd. Yn ara deg, ry'n ni'n dadwisgo Euros ac yn ei godi ar ei eistedd. Mae ei groen yn boeth, boeth, a rhyw gryndod rhyfedd yn trydanu trwyddo. Wrth ei weld yn wan fel hyn fedra i ddim peidio â chofio am y dyn y syrthiais mewn cariad ag e, sydd yn dal yno'n rhywle, yn llechu o dan y cwyr sydd wedi caledu o'i gwmpas dros y blynyddoedd. Ond mae hi'n rhy hwyr nawr i newid fy meddwl. Nid yw neithdar yn fy natur, atgoffaf fy hun.

Wrth i'r doctor sgwrio ei gorff â'r swigod mileinig, dwi'n golchi ei wallt. Gwallt Romani sydd ganddo, hwnnw'n drwchus ac yn dywyll. Erbyn hyn mae ei lygaid ar gau – bron fel petai'n mwynhau'r profiad. Dwy fenyw arall yn tendio arno – yn union fel y cannoedd a fu'n hel y mêl ar ei ran ers misoedd. Wrth i'r doctor wasgu'r sbwng rhwng ei goesau dwi'n gweld y talp o gnawd cyfarwydd yn codi, ac mae hynny'n gwneud i mi ffieiddio drachefn. Gwasgaf fwy o'r sebon drewllyd i'm cledr a gwasgu'r ewyn yn ddwfn i'w wreiddiau.

Unwaith i ni ei sychu a'i gael ar ei draed mae e'n arogli fel cownter persawr.

"Y peth gorau iddo wneud nawr," meddai hi, gan wincio arnaf, "yw mynd am dro bach, rownd yr ardd."

"Mynd am dro bach rownd yr ardd," ailadrodda Euros, gan chwerthin, a meddwdod y mêl efydd yn dal ei afael arno. "Tro bach. Fel ci bach. Mynd drot drot."

"Ie, dyna ni," meddai'r doctor, wrth nesáu at y drws gwydr. "Mynd drot drot."

Ry'n ni'n ei wthio allan i'r awyr agored yn ei ddillad isaf, cyn cau'r drws yn glep ar ei ôl. Rhaid cau pob ffenest, a diffodd y goleuadau; rhag iddo ef weld ein bod yn ei wylio, wrth gwrs, ond hefyd rhag drysu'r gwenyn. Rhyngddo ef a nhw mae'r frwydr hon yn awr.

Yn sicr ddigon, at y cwch gwenyn yr aiff ar ei draed ansicr. Gan anghofio iddo gasglu'r mêl eisoes, gan anghofio pob dim am y ffaith ei fod bron yn noethlymun gorcyn yn ei ardd ei hun, heb wenwisg amdano. Yn ddiarwybod ei fod yn drewi o holl bersawrau'r byd; yr hyn sy'n cynhyrfu ac yn gwylltio gwenyn. Yn gwneud iddyn nhw gredu bod 'na ryw forwyn bersawrus, annifyr ar droed. Un sy'n rhaid ymosod arni.

Wrth i'r pigiad cyntaf suddo i gnawd Euros mae'r ci bach du yn rhedeg at ddrws y patio, ac yn cyfarth. Ond chlywith neb mohono. Mae'r gwydr yn rhy drwchus. Hyd yn oed be bai rhywun yn digwydd pasio, beth fydden nhw'n ei weld go iawn? O bellter, mae'n siŵr fod y ci'n ymddangos fel nad yw'n gwneud dim byd mwy na dylyfu gên. Ac o'r fan hon, dyw Euros ddim yn edrych fel petai'n gwneud dim byd mwy na dawnsio o dan y lloer yn ei ddillad isa. Trwy niwlen y gwyll, does dim modd gweld y degau o adenydd bychain, duon sy'n glanio ar ei gnawd, gan wneud i'w gymalau wasgaru ar hyd y nos fel careiau rhydd.

Ond dwi'n gwybod eu bod nhw yno. A'u bod nhw'n gweithio i mi, y tro hwn.

Helsinki/Helsingfors

Slow metallic clangings,
the ancient jetty of the shades,
knock of boat against the piers:
no harbour, this, but a chance moment.

'Harbour', Eira Stenberg

EILIAD O LIW'R llanw ydoedd. Cyrraedd Helsinki ar drothwy'r haf, a'r düwch ymhlyg ym mhocedi ei chot. Wyddai hi ddim, bryd hynny, iddi gyrraedd mewn fflach o olau wedi'r gaeaf hir, ac nad oedd croeso i'r fath olau bob amser, yn enwedig mewn fflat dywyll yn Albertinkatu. Wyddai hi ddim, tan iddo ddweud wrthi, ei bod hi'n debycach i bluen eira nag i lygedyn o olau, bod ei gwedd yn welw ac yn annelwig.

Fe'i hudwyd gan batrymau glaw yr haf ar ei sbectol, a chamodd dros drothwy o fath gwahanol, ar gornel stryd yn y Ffindir.

Eiliad o liw'r llanw ydoedd.

Preswyliad yw'r gair a ddefnyddiodd wrth ffarwelio â phawb yn y maes awyr: y gair llithrig hwnnw sy'n oedi wrth argae ei dannedd, cyn tasgu fel pysgodyn dros wely llyfn ei thafod. "Cyfnod *preswyl*," meddai hi, gan golli gwynt rhyw fymryn, ei llygaid yn llawn o'r llynnoedd nad yw hi eto wedi'u gweld. Ac mae'r sawl o'i chwmpas yn ffarwelio heb ddeall nad yr un person yn union a ddaw yn ôl; y bydd rhannau ohoni'n ymgolli'n llwyr yn stribedi'r strydoedd hir, nes gadael mymryn ohoni hi ei hun ar gornel pafin, yn chwyrlïo ymysg y sbwriel.

Preswylio. Mwythair ydyw mewn gwirionedd – yr hyn mae e'n ei olygu yw cael cyfle i gamu allan o fywyd go iawn, gadael y cyfan ar ôl, a bod heb gyfrifoldeb yn y byd. Llenwi'r dudalen wen a'i staenio ag inc ei meddwl. Mae'r weithred fel gwisgo ffrog sidan gan wybod mai sgidie carpiog sydd am eich traed. Fel gweld pob modfedd o harddwch a hagrwch nad oeddech chi'n medru eu gweld ar eich patsyn eich hun yn grisial o glir yn rhywle arall. Fel syllu ar y gwter o echel seren. Fel chwilio'n orffwyll am air nad yw'n bod.

Mae'r fflat fel petai'n perthyn i'r dauddegau – y grisiau troellog marmor, y papur wal streips gwyrdd golau a hufen, y nenfwd tal, a'r *chaise longue* yn cuddio'i gorff hir o dan y llenni trwchus. Mae hi'n canfod mai Cymro yw un o'i chyd-breswylwyr; y llall yn hanu o Slofenia. O'r cychwyn cyntaf mae chwerthin mawr, rhagweladwy rhyngddi hi a'r Cymro, tra bod y Slofenyn yn cuddio'n llechwraidd yn y gegin, yn gwasgaru potiau bychain o fwyd dros y bwrdd, a chymryd llwyaid o bob un.

"I do not mind if you eat my food," meddai, "as long as you only select small quantities of it."

Y tu ôl i'w ysgwydd mae'r Cymro'n rholio ei lygaid, ac yna'n rholio sigarét. Mae'r ffaith bod 'na Gymro yma'n teimlo'n anghywir iddi rywsut – yr anghyfarwydd y mae preswyliad llenyddol i fod i'w gynnig, nid y cyfarwydd. Rhywbeth dieithr, tywyll, amlochrog. Ymhen dim maen nhw'n siarad â'i gilydd am fro ei febyd ar Ynys Môn; yn dilyn llwybrau'r cof at Biwmares, Penmon, er ei bod hi'n crefu am wybod mwy am Turku, Espoo, Vantaa a Vaasa. Y tu allan i'w hystafell wely, mae'r lliwiau anghyfarwydd yn ei swyno – yr adeiladau'n felyn-lemwn ac yn las-powdr – ond mae ef eisoes wedi llygru'i meddwl gyda gwyrddni Porthaethwy, gydag efydd Mynydd Parys. Hiraethu am y llefydd hynny mae hi nawr, gan arogli gwair bwthyn Cil-y-Grug lle y bu'n byw cyhyd, a theimlo haul melys Traeth Coch ar ei gwar, er mai chwa oer y Baltig sy'n ei chroesawu wrth iddi agor ei ffenest.

Dyna'r drafferth gyda phreswylio, mewn unrhyw fan. Suddo i mewn i'r corff y bydd y llefydd yma i gyd; nes bydd mapiau yn ymffurfio o dan bapur tenau'r croen, pob un wythïen yn troi'n heol gefn annelwig, droellog, sydd fel nad yw'n arwain i unlle, nes cyrraedd at yr holl arwyddion ffyrdd sy'n clystyru o gwmpas y galon.

Ac mae hi'n gwybod – mewn dim o dro – y bydd Helsinki'n un o'r llefydd hynny. Yn ychwanegu ei lwybr at y groesffordd yn ei chrombil.

Preswyliad ymhlith awduron; rhywbeth sy'n anathema llwyr, gan mai anifeiliaid o'r un anian yw awduron, pob un eisoes yn troi'r llall yn gymeriad mewn stori. Mae hi'n weladwy iddyn nhw mewn ffordd nad yw hi wedi bod ers meitin; gan wybod bod pob ystum, pob gair a ddaw o'i genau, yn *ddeunydd* iddyn nhw. "I am trying to fit you into my poem," meddai'r Slofenyn, trwy gil drws ei ystafell, ei lygaid yn cuddio y tu ôl i'w sbectol. "But I struggle with you. You are too open. You are a slippery subject."

Dim ond am ychydig oriau bob bore y bydd hi'n siarad â'r Slofenyn – dyna pryd y bydd e'n mentro ar draws y coridor o'i ystafell i'w hystafell hi, fel pe bai wedi cynllunio'n ofalus yr hyn sydd angen iddi wybod amdano, fesul tamaid, fesul brecwast. Dyw'r Cymro ddim i'w weld tan ganol dydd – er iddi ei glywed yn ystwyrian y tu hwnt i ddrysau tenau ei ystafell, a'i fysedd yn dawnsio'n ysgafn ar yr allweddellau. Flwyddyn a hanner yn ddiweddarach, fe fydd hi'n darllen nofel gan y Cymro hwn, gan adnabod y darnau a lamodd o'r aer yn rhywle yn y fflat yn Albertinkatu. Ac fe fydd hynny'n newid ei hatgofion o'r lle yn sydyn iawn; yn llenwi'r lle â chymeriadau ffuglennol nad oeddent yn bod ar y pryd. Fel pe bai hi wedi byw nid yn unig gyda'r ddau ddyn hyn, ond gyda'r holl dorfeydd rhyfedd yn eu dychymyg.

Ac eto mae hyn oll yn digwydd y tu ôl i ddrysau caeëdig. Teimla fel petai hi'n byw mewn cloc cwcw enfawr, a'i chyfeillion yn byw rywle yn ei berfeddion, gan ddibynnu arni hi i ymddangos bob nawr ac yn y man i gadw trefn, a chwifio ei ffedog wen i ddynodi y daw heulwen cyn bo hir.

Siôn a Siân a Siôn.

Wrth breswylio, bron nad yw rhywun, o reidrwydd, yn ymddwyn fel cymeriad mewn stori, a dyma mae hi'n ei wneud; gan ystumio wrth sleifio ar hyd y landin yn ei phyjamas coch, yn dal ei sigarét uwch ei phen fel ebychnod, a dychmygu dyfynodau yn dawnsio uwchben ei brawddegau. Mae rhywbeth am y fflat yn ei hatgoffa o lyfr Christopher Isherwood, *Goodbye to Berlin*, a phan fydd y ffôn hen ffasiwn yn canu yn y cornel fe fydd hi'n ei ateb fel y byddai Sally Bowles yn ei wneud, gan weiddi "Hiloooo" i mewn i'r derbynnydd mewn llais main, gan ddychmygu bod ganddi bluen yn ei gwallt, a chwythu'r mwg dros y plastig cyn pesychu'n aflywodraethus.

Ei mam sydd yno, yn ffonio o Landysul, ac am ei hatgoffa nad Sally Bowles mohoni.

Mympwy a ffawd – dau o'i ffrindiau gorau – nhw a'i harweiniodd at y fan hon. Dyw hi ddim i fod yma mewn gwirionedd. Gwnaeth gais i fynd i Malta, ond chafodd hi mo'i dewis ar gyfer y preswyliad hwnnw. Awdur o Malta gafodd ei ddewis i ddod yma hefyd. Dyna oedd trefn pethau; felly roedd pethau i fod. Ond nawr mae hi yn Helsinki am fod ffawd wedi chwarae ei rhan a'i phlannu mewn dinas nad oedd ganddi fawr o apêl i ddechrau. Ac mae'n gwybod y gwnaiff hi ddarganfod, yn hwyr neu'n hwyrach, pam y cafodd ei hanfon i'r fan hon wedi'r cyfan. Pam bod y ddinas onglog, Nordig hon yn well iddi na *piazzas* Malta a'i heulwen hirfelyn.

All hi ddim peidio â chofio ei bod yma yn sgil anffawd rhywun arall; awdur arall.

"Beth ddigwyddodd i'r awdur o Malta te?" mae hi'n gofyn i'w ffrind newydd.

"Dwi ddim yn siŵr," meddai. "Dwi'n meddwl bod ei thŷ hi wedi llosgi neu rywbeth."

Neu rywbeth. Dyw hi byth yn trafferthu holi a yw'r stori yma'n wir ai peidio. O hyn ymlaen, mae'n troi ei eiriau meddal yn ffaith haearnaidd, ac mae'n gallu gweld y fflamau, yng nghil ei dychymyg, yn llarpio adeilad tal ar ynys fechan, wrth i'r awdur druan wylio'i bywyd yn toddi o'i blaen.

Ac wrth i'r mwg godi a'r llwch wasgaru, dyna lle y mae hi, yn aros i gymryd ei lle, eisoes yn llusgo ei chês dros y rwbel.

Wrth ddarganfod y ddinas ar ei phen ei hun, daw i sylweddoli nad oes unman yn Helsinki ymhell o'r dŵr. Ar gornel pob stryd mae 'na ryw sbec o sidan, rhyw ddiferyn o'r dilyw'n dawnsio. Mae diferion yn hylifo yn ei thrigolion, hefyd, yn gorffwys ar rimyn eu llygaid wrth iddynt ei chydnabod ar y strydoedd. Mae hi'n synnu gweld ambell un yn gwenu arni wrth iddi basio heibio, fel petaen nhw rywsut yn ei hadnabod, ac eto, maent yn cyfarch y dieithryn nesaf yn yr un modd.

Pobl sy'n ymestyn yn un rhith hir, fel gorwel, yw'r Ffiniaid. Does iddynt ddim terfyn, ddim pen draw, ac eto, mae rhyw rym rhyfedd ganddynt i'w hudo. Mae hi'n rhannu ei doethineb â'r Cymro, dros swper, ac yntau'n golchi'r delfryd ymaith â llowciad swnllyd o'i gwrw *Karhu*.

"Paid cael dy dwyllo gan dactegau milwrol," meddai'r hwn a allasai fod yn hanesydd. "Edrycha di ar eu hanes nhw, ma nhw wedi gorfod bod yn ffrindie â phawb er mwyn amddiffyn eu hunain. Rhaid i ti wenu ar neidr, fel bod dy geg yr un siâp â'i cheg hi. Neith hi ddim dy frathu di wedyn."

Mae e'n edrych i ffwrdd, y trai rhwng ei amrannau.

Drannoeth, mae hi'n gadael y fflat yn ddistaw yn y bore bach, heb ddeffro'r Cymro na'r Slofenyn. Y grisiau marmor oer yn gwenu arni, pob gris yn ei chymryd ymhellach i ffwrdd oddi wrth garpedi di-ri ei bywyd arferol. Hinsawdd rhyfedd, cyfnewidiol sydd gan Helsinki yr adeg yma o'r flwyddyn, yr heulwen yn dwyllodrus, ac oerni annisgwyl yn llechu oddi tani. Ond mae rhywbeth yn cyniwair yn yr aer, rhyw deimlad o ryddhad ymysg trigolion y ddinas wrth weld yr heulwen yn dod i'r fei, rhyw hapusrwydd sydd bron yn orffwyll. O hyn ymlaen, ac yn wir, am flynyddoedd i ddod, bob tro y bydd hi'n sôn am ei chariad at y ddinas arbennig hon, fe fydd y sawl sydd wir yn adnabod Helsinki yn gwenu arni'n gyfrwys a dweud:

"A! Rhaid dy fod ti wedi ymweld â'r lle yn yr haf, ydw i'n iawn?"

Dyna sy'n cuddio y tu ôl i wên y Ffiniaid, mae hi'n sylweddoli'n sydyn. Y tymhorau tywyll na fedrith hi mo'u hamgyffred. Gwên i guddio'r gaeaf hir ydyw.

Llithra'n ddiarwybod trwy Bulevardi ac Esplanadi; dim ond wedyn y bydd yr enwau'n bwysig iddi, dim ond mewn misoedd y bydd hi'n tafoli'r cytseiniaid ar ei thafod – heddiw, mae hi'n hapus dim ond i ddilyn map ei thraed, i beidio â thafoli dim.

Mae'r arwyddion oll yn ddwyieithog, yn Ffinneg ac yn Swedeg, gyda'r Swedeg yn llercian ar gorneli'r strydoedd. *Helsinki/Helsingfors*. Dyw hi ddim yn siŵr iawn ar ochr pwy y dylai fod, ond mae'r Swedeg yn ei swyno. Mae'n cael pwl o euogrwydd wedyn wrth weld protest gan y Saamis, y bobl frodorol, ar sgwâr Senaatintori – a'u baneri mawr melyn yn chwifio'n falch yn yr aer.

Cyrraedd bwyty'r Kappeli yng nghanol parc yr Esplanadi, a phenderfynu mynd i mewn. Dyma gyrchfan yr awduron yn ôl ei theithlyfr – awduron o bob math wedi heidio yno, er mwyn cael eistedd wrth y ffenestri wyffurf mawr, yn edrych allan mewn rhyfeddod ar y ddinas, ac ar yr harbwr a'i gychod mawreddog, a allai eu dwyn ymaith i lefydd pell. Gallai rhywun fod yn Nhallinn mewn ychydig oriau, ac ar goll rhwng ei muriau canoloesol. Ymhen dwy flynedd, fe fydd hi'n eistedd ochr yn ochr ag awdur o Estonia ar yr union fwrdd hwn yn trafod yr union brofiad hwnnw – ond mae sawl llwybr i'w droedio gyntaf, sawl harbwr i ffarwelio ag e, cadwyni o bobl i'w cyfarfod a'u colli.

Ond gan nad yw hi'n gwybod hynny eto, ar y pryd mae'n rhaid cofnodi popeth yn ei llyfr bach: arogl y coffi yn gymysg â graean glân y parc. Yr hufen yn dalpiau blêr, yn suddo i lawr ei llewys. Chwyrligwgan plentyn bach yn taranu oddi ar gornel un o'r byrddau haearn, a'i fam, yn hytrach na'i ddwrdio, yn ei osod yn ôl yng nghanol y bwrdd yn ddistaw. Y gwylanod yn gwybod y dylent gadw draw; heblaw am yr un benddu sy'n ei herio â'i llygaid melyn ar sil y ffenest, a'i phig yn clincian yn erbyn y gwydr. Synau Helsinki'n dechrau deffro wedi i'r gaeaf gilio; sain y môr yn siffrwd o'i chwmpas ym mhob man.

A dyn yn rhoi ei law ar ei hysgwydd ac yn dweud, "S'mae"; y sain sy'n ei dwyn yn ôl i dir sych.

Edrycha i fyny a gweld y Cymro'n edrych i lawr arni. Dyma lle bydd e'n dod bob bore am frecwast.

"Tyrd i ynys Suomenlinna efo fi heddiw," meddai.

"Iawn," meddai, er ei bod hi'n ysu am ymbellhau, i wneud rhywbeth gwahanol, fel ceisio deffro'r Slofenyn o'i drwmgwsg, efallai, yn hytrach na dilyn dyn y gallasai fod wedi'i gyfarfod ar Ynys Môn.

Suomenlinna. Ynys fechan, nid nepell o ganol Helsinki; yn esgyn allan o'r dŵr disglair wrth i'r cwch droi ei gefn ar y tir mawr. Mae'r lanfa'n fawr ac yn gadarn, a'r cwch yn deyrnas ynddo'i hun – does dim angen siaced achub ar neb. Fedrith hi ddim peidio â meddwl am Enlli, nac yntau am Fôn. Ond nid ynys agored, fechan yw hon, ond un sydd wedi'i chynllunio'n ofalus i ddiogelu ei thrigolion rhag gelynion. Ynys a chanddi furiau, nid dim ond rhyw gloddiau bach shimpil ym mhob man. Yr adeiladau'n llawn hyder, y ffenestri agored yn brolio bwrlwm oddi mewn, y dillad haf yn cyhwfan yn y gwynt fel baneri. Dyma ynys nad yw'n ymddiheuro am fod yn ynys. Cuddfan ym mhob cilfach. Cadarnle o fath gwahanol.

Fe fydd yn dychwelyd i'r fan hon, ar ei phen ei hun, maes o law, er mwyn gweld y lle'n iawn. Does dim modd profi pethau'n iawn yng nghwmni rhywun arall – ry'ch chi'n rhy brysur yn trafod, yn ystwyrian, yn colli'r manion er mwyn darganfod y pethau mwy – er na fyddant yn arwyddocaol iawn yn y pen draw. Fel y cwymp wrth y creigiau. Fe lithrodd e'n sydyn ac fe gydiodd hithau yn ei fraich i'w rwystro rhag cwympo. Ac er i'r ddau chwerthin am y digwyddiad am oriau wedyn, fedrai hi ddim peidio â dychmygu'r olygfa'n wahanol; ei sbectol yn chwalu'n yfflon ar garreg, ei choesau hithau'n suddo o dan y dŵr, y ddau'n cael eu golchi ymaith i'r môr, fel cosb am gludo'u hynysoedd estron i'r fan hon.

Wrth gerdded yn ôl i gyfarfod y cwch, gwêl Helsinki yn y pellter, a'r llecyn hwn yn awr yw'r cyfarwydd, yn ei chroesawu'n ôl. Eisoes mae Helsinki wedi datblygu'n rhyw fath o lanfa iddi, yn dir mawr newydd, a hithau mor gyndyn i'w adael ag ydoedd i adael Enlli yr holl flynyddoedd yn ôl. Sylweddola mai dyma'r her sydd o'i blaen – canfod harbwr yn hytrach na glanfa, dinas yn hytrach nag ynys.

Ac i ganfod ei hunan yno'n rhywle, o'r newydd.

"Wyt ti 'di edrych lawr ochr y gwely? Dyna lle mae'r pethau coll i gyd yn cael eu ffeindio yn y diwedd," meddai e, a'i eiriau'n fflyd o gychod bach yn glynu wrth harbwr ei chof.

Gadael y cwch drachefn a theithio i lawr tuag at yr harbwr a'r farchnad awyr agored; gogoniant Helsinki. Arogl braster a physgod yn llenwi'i ffroenau, ac yntau'n ei thywys tuag at babell oren yn llawn morwyr llwglyd. Mae arni eisiau dweud wrtho fod ganddo wedd pysgodyn weithiau, yn llithrig ac yn bell ac yn llachar gyfnewidiol. Er iddi brotestio mai cig yw ei chariad gastronomaidd cyntaf, mynna ei denu i'r babell oren i flasu plât yn llawn o benwaig y Baltig. Ac er iddi gael ei hudo'n llwyr gan yr arogl, mae'r blas yn wrthun iddi, y broses o fwyta yn orchwyl annifyr. Mae yntau'n chwerthin wrth iddi dagu ar yr esgyrn bach, a'i chwarddiad yn rhyfeddol o forwrol, fel pe bai 'na gregyn yn dawnsio yn ei lwnc.

"Ti fod i fwyta'r esgyrn," meddai, gan lowcio llond ceg o benwaig cras. "Ty'd 'wan, i lawr â nhw."

Rhoddodd gynnig arni drachefn. Llyncu'n gyflym fel na fyddai'n teimlo'r esgyrn mân ond am ennyd. Eto i gyd, mae'r teimlad yn aros gyda hi; poen siarp yng nghefn ei gwddf.

Yn hwyrach y noson honno, cânt wahoddiad i swper, er mwyn cyfarfod â rhagor o awduron y ddinas. Yn hytrach na gwasgaru eu hunain o amgylch y bwrdd, eistedda'r tri gyda'i gilydd – y Cymro, y Gymraes a'r Slofenyn, eisoes yn deulu bach, yn sibrwd a chwerthin ymysg ei gilydd.

Archeba stêc carw – danteithfwyd mawr y Saamis – gan ofyn amdano'n lled-amrwd, er mawr syndod i'w chyfeillion, sy'n archebu stêcs canolig.

"Mae'n rhyfedd gweld merch sy'n tagu ar esgyrn yn cnoi swmp o gnawd anifail," medd y Cymro.

Mae hi'n gwenu – y gwaed yn rhaeadru dros ei dannedd.

Y diwrnod canlynol gadawant Helsinki ar fws. Dy'n nhw ddim wedi gweld y Slofenyn ers rhai oriau; er iddynt glywed ei bendwmpian gyda'r nos. Maen nhw'n gadael neges iddo, i ddweud wrtho eu bod wedi troi eu golygon tua'r archipelago. Fan yno, mae'r ynysoedd yn fwy niferus na'r bobl.

Heidio tua'r gorllewin yn un â'r dyrfa o Ffiniaid sydd oll yn gwneud eu ffordd tuag at eu cabanau a'u tai haf; a gwylio, trwy ffenest y bws, yr adeiladau tal yn crebachu, cyn troi'n fyrdd o goed tal a chaeau gwastad, milltiroedd gwyrdd diddiwedd. Mae holl siwrneiau ei chof yn plethu i'w gilydd, nes ei bod hi'n hanner disgwyl cyrraedd Cerrig-y-drudion, neu gapel pellennig Soar y Mynydd. Mewn ychydig fisoedd, fe fydd hi'n gyrru fel ffŵl trwy Gerrig-y-drudion yn ceisio dianc oddi wrth un o gamgymeriadau mawr ei bywyd, ond dyw'r llwybr hwn ddim wedi'i lygru gan yr atgof hwnnw eto, ac mae'n tywynnu'n hardd o hyd yn ei meddwl.

Cyrraedd ynysoedd Kimito-Kemïo, a rheiny wedi bod yno'n y Baltig ers Oes yr Iâ, ynysoedd sy'n ôl-nodyn o'r hyn a fu. O'r eiliad iddyn nhw gamu oddi ar y bws maen nhw'n teimlo ar goll ynghanol byd o ynysoedd, a'r rheiny'n ymestyn allan o'u blaenau ym mhob man.

Mewn ychydig oriau, maen nhw'n sefyll ar lanfa denau, yntau'n siarad pwll-y-môr gyda morwr sy'n cynnig eu cludo i un o'r ynysoedd am grocbris, a hithau'n eistedd ar graig yn edrych ar y cychod yn mynd a dod o ynys i ynys, o dir mawr i dir llai, ac yna'n ôl drachefn.

Dyw hi ddim yn siŵr pam, ond yr eiliad y cyrhaedda yno mae hi'n ysu am adael. Teimla drachefn fod 'na rywbeth rhyfedd, afreal am gael ei hamgylchynu gan ynysoedd, gweld clytwaith o ddarnau, oll yn gysylltiedig, oll yn sibrwd ymysg ei gilydd. Does dim unigrwydd yn perthyn i'r ynysoedd hyn ac mae arni eisiau teimlo'n unig unwaith eto, yn *ynysig*. A hynny mewn dinas, lle mae pawb yn ynys.

"Dwi 'di cael digon o ryw hen ynysoedd byth a hefyd! Wyt ti'n dod 'nôl i Helsingfors 'da fi neu beth?" mae hi'n gofyn, wrth weld iddo gael ei hudo gan y golygfeydd. "Dwi am fynd 'nôl i'r ddinas."

Does dim angen iddo ateb. Mae hi'n gweld y lanfa yn ei lygaid.

Dychwelyd i noson o ddathlu ar sgwâr Senaatintori. Dyw hi ddim yn bosib troi cefn ar Helsingfors heb i rywbeth newid, ac yn ystod y cyfnod pan nad oedden nhw yno, mae'r wlad wedi ennill yr *Eurovision Song Contest*. Mae'r strydoedd yn orlawn o ddynion bronnoeth yn taflu eu hunain i mewn i byllau dŵr, neu'n cario *stereos* enfawr ar eu hysgwyddau fel petaen nhw dal yn yr wythdegau. Mae hyder gwallgof wedi cydio yn y ddinas; amrannau'r dydd yn gwrthod cau, a'r cwrw'n llifo'n rhydd trwy'r nos, yn ffrydiau aur.

Maen nhw'n gweld y ddinas yn agor islaw grisiau crand Senaatintori; y gyflafan daclus yn ymestyn o'u blaenau – yr heddlu ym mhobman, ac eto does mo'u hangen rywsut. Gall y Ffiniaid hyd yn oed chwalu potel yn daclus, yn byramid o wydr gwyrdd na fydd yn anafu neb. Mae'r band buddugol – Lordi – yn chwarae gig ar y sgwâr, ac mae pawb yn y dyrfa'n gwisgo mygydau rwber, bwystfilaidd. Pawb heblaw amdanyn nhw. Ond eto, nhw sydd yn guddiedig, eu hwynebau plaen yn ymblethu trwy'r dorf, wynebau sy'n gwrthod cydymffurfio.

Mae'r ddau yn gwneud penderfyniad i beidio â dychwelyd i'w fflat wag, ddistaw, yn Albertinkatu, heno, gan adael i risiau Senaatintori eu harwain at waelod duaf y nos olau hon. Eisoes mae un gair o gyfarchiad ar fwrdd mewn tafarn yn arwain at ddrysau di-ben-draw mewn adeilad anghyfarwydd. At barti rhyfedd yng nghwmni Ffiniaid llorweddol, at chwarddiad sy'n atsain mewn coridor gwag yn yr oriau mân, at ddrysau mawrion sy'n agor ac yn chwydu'r ddau allan drachefn ar y stryd, er mwyn iddyn nhw weld, trwy lygaid blinedig, rhyfeddod y môr plygeiniol o'u blaenau, a'i weld o'r newydd, o ongl annisgwyl, ar stryd ddieithr.

Eisoes mae camau trwy Gymru wedi arwain at daith drwy'r Ffindir, mae geiriau ar bapur wedi creu'r cytseiniaid anghyfarwydd yn y glust. Mae hi fel 'tai hi eisoes wedi sgrifennu am y bore rhyfedd hwn mewn fflat yng Nghaerdydd, ryw saith mlynedd yn ôl, a dod ag ef i fodolaeth. Mae fel 'tai hi'n gwybod, wrth syllu ar ei hadlewyrchiad yn y ffenest cyn mynd i'r coleg am y tro cynta, y byddai'n cyrraedd y groesffordd hon yn Helsinki/ Helsingfors, heb wybod pa ffordd fydd yn ei harwain yn ôl i'r dechrau, a heb fod eisiau gwybod, chwaith.

Tro'r trai, a hwnnw'n digwydd mor ddirybudd rywsut.

"I will be going back to real life in three days," meddai'r Slofenyn wrthi, tra bod tocyn awyr y Cymro bellach ar y ddesg wrth y ffôn, yn atgof o'r diwedd sydd ar ddod, y ddedfryd ar bapur na fedr ei osgoi. Mae hi'n bwcio tacsi i fynd â hi nôl i'r maes awyr mewn tridie. Llanw bywyd yn agosáu, yn barod i'w llarpio.

Y Cymro yw'r cyntaf i adael. Mae e'n cnocio ar ei drws am chwech y bore, ond am ryw reswm – a dyw hi ddim yn siŵr pam – mae hi'n esgus ei bod hi'n cysgu. Mae e'n pendilio uwch ei gwely am ennyd, ac yna'n camu i ffwrdd, gan gau'r drws yn ddistaw bach. Oriau'n ddiweddarach mae'r Slofenyn yn sleifio i'w hystafell wely, ac yn agor y llenni. Mae smotiau melyn yr haul yn glynu ar y papur wal streips, gan ddrysu'r patrwm.

"I am leaving now. Will I ever see you again, do you think? I think maybe I will see you in Slovenia one day," meddai. "Yes? You will surely be invited there. Yes? I will mention your name to the festival organisers in Vilenica..."

Mae hi'n nodio ei phen yn gysglyd. Mae pob cyfnod preswyl yn arwain at rywle arall yn y pen draw, a phob un yn rhan o fordaith estynedig yr awdur trwy brofiadau bywyd. Ymhen pedair blynedd fe ddaw'r gwahoddiad hirddisgwyliedig iddi fynd i Slofenia, ond fe fydd yn rhaid iddi wrthod, rhywbeth dyw hi erioed wedi ei wneud cyn hyn, a hynny am y bydd hi, ar yr union adeg honno, ar ei ffordd i'r ysbyty i eni plentyn. Yn profi llanw a thrai o fath gwahanol iawn, tonnau duon y tu mewn iddi sy'n dod â pherson bach yn nes ac yn nes ati. Ac fe fydd hi, wedi hynny, yn gweld mai'r plentyn hwn yw'r tocyn mwyaf gwerthfawr a gafodd hi erioed, sy'n ei thywys at gefnforoedd ac ynysoedd o fathau gwahanol iawn.

Ond am nawr mae hi'n ifanc ac yn uchelgeisiol, ei stumog yn llyfn a chyhyrog a gwag, a dacw Slofenia, yn tywynnu'n llawn gobaith yn ei llygaid llaith.

Y diwrnod wedyn – ei diwrnod olaf hi yn y ddinas ryfedd hon – mae hi'n prynu ffrog. Bob nos, wrth gerdded adre o'r ddinas ar hyd un o'r strydoedd cefn, sylwodd ar ffrog goch, batrymog yn sibrwd arni o ffenestr siop fechan ar Annankatu, yn ymbil arni i'w hachub. Ond roedd y siop bob amser ar gau – tan heddiw. Mae'r peth yn symbolaidd rywsut – a hithau bellach yn unig, ac yn annibynnol go iawn yn y ddinas hon, agorodd y drysau oll iddi. Cofiodd iddi ddarllen yn rhywle mai Helsinki yw drws y Ffindir i Ewrop, ac mae Ewrop i gyd fel 'tai'n agor iddi nawr, yn fôr o daffeta distaw o gylch ei phengliniau.

Y prynhawn wedyn eistedda yn yr harbwr, yn ôl yn y babell oren. Mae hi'n ystyried archebu'r penwaig, ond mae'n cofio'r annifyrrwch, y blerwch yn ei cheg. Cawl samwn sy'n mynd â'i bryd y tro hwn, ac mae ganddi archwaeth am bysgodyn wrth iddi eistedd i lawr i arogli'r perlysiau, cyn blasu. Mae'r golau'n llachar ar y dŵr llonydd, a Suomenlinna'n gloywi yn y pellter. Daw dynes draw ati yn sydyn a gofyn, mewn Ffinneg, a gaiff hi ddod i eistedd ar ei bwrdd? Ac mae hi'n amneidio ei phen – gan awgrymu ei lled-ddealltwriaeth. Yn sydyn iawn mae hi'n deall pam nad yw'r ynysoedd yn apelio ati mwyach; am ei bod hi am ganfod yr hyn y gall amdani hi ei hun ar dir mawr, cadarn.

Ei noson olaf yn y ddinas; swper ar ei phen ei hun mewn bwyty crand, pysgodyn, potelaid o win. Y ffrog goch yn arfwisg amdani. Helsinki'n fyw o dan ei thraed, a'r profiad o fod yn unig ymysg y dorf yn ei chyffroi. Ond prin yw'r dieithriaid sy'n ei chyfarch. Â'r haf yn agosáu, mae ambell un wedi dechrau cilio. Yfory fe fydd cannoedd o Ffiniaid yn hel eu pac ac yn cilio i'r fforestydd, yn ôl eu harfer hafaidd. Mae ganddi awydd peidio â mynd ar yr awyren yna fory, a mynd gyda nhw, yn ei ffrog goch, at y fforestydd pigog. Dyna sut y teimla – y gallai hi wneud hynny, fel 'tai'r byd go iawn wedi peidio â bod. Yn sydyn iawn mae'r cyfan a wnaeth yn ystod ei bywyd wedi'i gywasgu i'r un foment hon: merch mewn ffrog goch, yn cerdded strydoedd Helsinki ar ei phen ei hun, gan wenu ar ddieithriaid, a hynny'n slic-slei, fel un o'r brodorion.

Eiliad o liw'r trai ydoedd, yn y pen draw. Fe adawodd hi Helsingfors/Helsinki yn yr aer, a theithio 'nôl drwy amser, gan feddiannu'r munudau a oedd eisoes wedi bod. Ar yr awyren, teimla'r ddwy awr ychwanegol yn esgyn ohoni, yn llithro'n llyfn i'r dim-byd-rwydd o'i chwmpas, a'r geiriau'n ei gadael, un wrth un, yn ddistaw bach. Cyrraedd 'nôl i weld yr aer eisoes yn pylu, a'r haf yn fflach o lwydni wedi'r gwanwyn golau. Craffu trwy'r gwydr, a gweld naratif niwl Caerdydd yn dirwyn ei thaith i ben.

Eiliad o liw'r trai ydoedd, yn y pen draw.

Diolchiadau

Diolch i Lefi Gruffudd, Sion Ilar, Alun Jones a Nia Peris am eu gwaith trylwyr wrth baratoi'r gyfrol hon, ac yn enwedig i Alun am ei anogaeth a'i weledigaeth dros gyfnod hir.

Diolch i Lenyddiaeth Ar Draws Ffiniau am y preswyliad annisgwyl yn Helsinki a arweiniodd at y darn 'Helsinki/ Helsingfors'. Comisiynwyd y darn hwn yn wreiddiol fel rhan o brosiect *Sealines*, gyda chymorth Culture 2000, Cyfnewidfa Lên Cymru, Celfyddydau Rhyngwladol Cymru a'r Academi.

Diolch i Anti Siân – fy narllenydd cyntaf ers blynyddoedd maith – am ei sylwadau treiddgar, ei haelioni a'i hamser.

Diolch i fy rhieni, Menna a Wynfford, a Meilyr fy mrawd am eu cyngor.

Diolch i Kate Woodward a Mari Siôn am ddarllen rhai o'r straeon hyn cyn iddyn nhw fynd i'r wasg.

Diolch i'r ffotograffydd unigryw Dai Evans am y llun 'The Flying Dutchman ar draeth Aberaeron' a daniodd y stori 'Dwy Law yn Erfyn', gan gofio'n annwyl iawn am ei ddiweddar wraig, Caryl Evans.

Diolch i Bobi Jones a Mihangel Morgan am fod mor barod i gynnig broliant i'r gyfrol hon, ac am fod yn ysbrydoliaeth.

A'r diolch pennaf i'm gŵr hawddgar, Iwan Llangain, am y cyd-fyw llawen a'r chwerthin.

Ymddangosodd fersiynau cynnar o ambell stori yn y cyhoeddiadau canlynol – 'Cymdogion' ('Dwy Law yn Erfyn') (*Cyfansoddiadau a Beirniadaethau Eisteddfod Genedlaethol Casnewydd a'r Cylch*, Llys yr Eisteddfod Genedlaethol, 2004), 'Pwdin' (*Tinboeth*, Gwasg Gwynedd, 2007), a 'Hollti Blew' (*Taliesin*, Rhifyn 140, 2010).

Hefyd gan Fflur Dafydd:

£8.95

TWENTY THOUSAND SAINTS

Fflur Dafydd

WINNER OF THE PROSE MEDAL –
NATIONAL EISTEDDFOD 2006

£9.99

Am restr gyflawn o lyfrau'r Lolfa, mynnwch
gopi o'n catalog newydd, rhad
neu hwyliwch i mewn i'n gwefan

www.ylolfa.com

lle gallwch archebu llyfrau ar lein.

y Lolfa

TALYBONT CEREDIGION CYMRU SY24 5HE
ebost ylolfa@ylolfa.com
gwefan www.ylolfa.com
ffôn 01970 832 304
ffacs 832 782